Andrea Camilleri

LA SCOMPARSA
DI PATÒ

Romanzo

MONDADORI

Dello stesso autore

Nella collezione Omnibus
Un mese con Montalbano

Nella collezione Scrittori italiani e stranieri
Gli arancini di Montalbano

Nella collezione Gli Oscar
Un mese con Montalbano

http://www.andreacamilleri.net

http://www.mondadori.com/libri

ISBN 88-04-48412-8

La scomparsa di Patò

Cinquant'anni prima, durante le recite del "Mortorio", cioè della Passione di Cristo secondo il cavalier
D'Orioles, Antonio Patò, che faceva Giuda, era scomparso, per come la parte voleva, nella botola che pun-
tualmente, come già un centinaio di volte tra prove e
rappresentazioni, si aprì: solo che (e questo non era
nella parte) da quel momento nessuno ne aveva saputo più niente; e il fatto era passato in proverbio, a indicare misteriose scomparizioni di persone o di oggetti.

Leonardo Sciascia, *A ciascuno il suo*

1

SCOMPARSA DI PATÒ
E FATICOSO AVVIO
DELLE INDAGINI

L'ARALDO di MONTELUSA

Gerente: Pasquale Mangiaforte   Giovedì, 20 marzo 1890

Il "Mortorio" a Vigàta

Ieri ci pervenne notizia de' preparativi che a Vigàta fervono in vista della rappresentazione del "Mortorio" che avverrà domani 21, giorno di Venerdì Santo, come tradizionalmente usasi ripetere da una ventina di anni a questa parte. Alla rappresentazione, alla quale si darà comincio alle ore 3 e mezza del dopopranzo, assisteranno S.E. Reverendissima il Vescovo di Montelusa, Boscaìno Monsignor Angelo; S.E. il Prefetto, Tirirò Grande Ufficiale Francesco; il Questore, Bonafede Commendator Liborio; il Comandante la guarnigione, Bousquet Colonnello Emilio; il Comandante dei Reali Carabinieri di Montelusa, Bosisio Capitano Arturo Carlo; il Comandante la Capitaneria di Porto, Benvenuto Capitano Ortensio; il Sindaco, Caruana Cavaliere Antonio e il Consiglio Comunale al completo. Gradi-tissimo Ospite sarà l'Onorevole Rizzopinna Commendator Gaetano, del Partito dell'Opposizione. Non sarà presente invece S.E. il Senatore Pecoraro Grande Ufficiale Artidoro, Sottosegretario di Stato al Ministero dell'Interno, perché oberato da impegni di Governo. Peccato! La cittadinanza avrebbe colto l'occasione per stringerglisi d'attorno e ringraziarlo di due novi suoi regali: la posa in opera della grande fogna e il lavatoio comunale.

Si prevede grande folla di spettatori che converranno da' paesi circonvicini. All'uopo il Sindaco Caruana ha predisposto apposite misure d'accoglienza comprendenti locali di ristoro e di decenza.

Quest'anno il grande palcoscenico pel "Mortorio", costruito sotto la guida del valente mastrodascia Vapano Cosimo, è stato allestito non più ai piedi della scalinata della Chiesa Madre, ma davanti al prospiciente palazzo de' Marchesi Curtò di Baucina.

Con gesto vivamente apprezzato dalla popolazione, il Marchese Simone Curtò ha concesso l'uso di quattro suoi magazzeni le cui porte s'affacciano all'interno del vasto cortile padronale. In due de' predetti magazzeni potranno agevolmente vestire il costume le cento comparse, suddivise per sesso sicché non si abbia a patire di sconveniente promiscuità. Gli altri due magazzeni saranno adibiti pel medesimo officio: qui potranno cangiarsi d'abito le gentili attrici nonché i valenti attori che assommano a ventidue e tra i quali trovansi i nomi di stimati professionisti e di onesti commercianti di Vigàta che già in passato, in siffatto modo, han voluto pubblicamente manifestare il senso della loro profonda divozione.

Un popolar detto suole affermare che marzo è mese pazzo: noi facciam fervidi voti acciocché domani, ritrovato il senno, regali agli intervenuti il dono di un cielo sereno.

REGIA DELEGAZIONE
di PUBBLICA SICUREZZA
di VIGÀTA

Al Signor Questore di
Montelusa

               Vigàta, li 20 marzo 1890

Num. Prot. 208
Oggetto: Autorizzazione diffida

Or è ieri, all'incirca alle ore 10 del
mattino, un fattorino della locale filiale
della Banca di Trinacria, sita nella Piazza
Grande al numero civico 16, veniva ad avver-
tirci con allarmate parole di un furibondo
alterco che svolgevasi nell'officio del Direttore della predetta filiale, Patò ragioniere Antonio.

Prontamente accorso in loco, trovavo nel-
l'officio, oltre al ragioniere Patò, il commerciante in cereali Ciaramiddaro Gerlando il
quale, in preda a incontenibile ira, non sod-
disfatto di avere scaraventato in terra tutte
le carte che trovavansi sulla scrivania del
Direttore, non pago d'avere spezzato le gambe
di una sedia, non contento di avere fatto
minzione al centro della camera, aveva altresì scagliato un calamaio pieno di inchiostro
in faccia al ragioniere Patò e apprestavasi a
passare a più pesanti vie di fatto.

Immobilizzato l'energumeno che continuava a

profferire minacce di morte avverso il Direttore, apprendevo da quest'ultimo, in preda a comprensibile agitazione, che la cagione della lite era da rinvenire nella negativa di una dilazione alla restituzione di un prestito di Lit. 280 concesso al Ciaramiddaro ben ventiquattro mesi avanti.

Alla risposta che la Banca di Trinacria non poteva permettersi ulteriore sofferenza, il Ciaramiddaro saltava in piedi e facendo voci come un pazzo:

"Ora ti fazzu suffrìri iu, grannissimu curnutu!"

dava principio allo scempio di cui sopra.

Allontanato dall'officio il Ciaramiddaro, dopo averlo severamente ammonito, invitavo il ragioniere Patò a esporre circostanziata denunzia sull'accaduto. Ma egli fermamente rifiutavasi, tenendo in non cale le mie insistenze, coll'asserire non esser costume suo l'infierire sui debitori.

E difatto il ragioniere Patò Antonio è benvoluto e stimato dai cittadini di Vigàta i quali lo considerano uomo di grande rettitudine, di adamantina condotta e di pio sentire.

Non è un caso che egli, parmi da un quattro o cinque anni a questa parte, siasi sobbarcato a vestire i panni di Giuda nel "Mortorio" che qui annualmente si recita. Egli offre al Signore qual penitenza de' peccati suoi il vero e proprio vilipendio dagli spettatori che hanno la figura del traditore di Cristo in odio e dispregio.

In quanto al Ciaramiddaro Gerlando, egli è persona abitualmente violenta e prepotente e perdipiù molto vicina, a quanto odesi mormorare, al noto capomaffia Pirrello Calogero, pur sempre a piede libero perché prosciolto, per insufficienza di prove, nel processo che lo vedeva imputato di triplice omicidio.

Vengo pertanto a pregare la Signoria Vostra Ill.ma di volermi autorizzare a impartire al Ciaramiddaro Gerlando ufficiale Diffida per il suo quotidiano contegno foriero di risse sovente sanguinose.

Il Delegato di P.S.
(Ernesto Bellavia)

Ernesto Bellavia

Al Sigor Marisciallo dei
Carrabbinera di
Vicàta

Io sotoscrito Vasapolli Onofrio ntisu No-
friu nato a Montirriali e qui che ancora
ci sta nela contrata chiamata Sfirlaz-
za senza nummaro che ci porta a canuscenza a Vosia che Vasapolli Arturo
ntisu Tutù aieri a sira sinni scappò.
Tratasi di mio fratelo di ani 45 che i si-
gori medici di Montilusa dello spitali dei
pazzi ano deto che erasi agguarito doppo
che si era fato 10 ani di spitali.
Erasi agguarito una minchia, salvando
la faccia di chi mi lege, ci dico solo questa che ogni matina quanno che va
nela vigna a cacari la fa su una pampi-
na che doppo se la porta a la casa e si
la mancia col latti di pecora. Pazzo to-
tali è che lo sa la povira moghliere mia
che ci tribbola apresso essento che lui
non fa nenti di nenti di la matina a
la sira, sulamenti ca a oghni mezzorata

16

si mete in ginocchio e si mete a prigari facenno tali vociate di mea curpa che macari li cani sinni scapano scantati. I dotori dello spitali dicesi che tratasi di inogua mania di religiosità. Altro che inogua!

Assinonchè Tutù che è bono e caro adiventa un cane arraggiato guanno ca senti gualichiduno lo guale che biastemia o dice parolazze vastase. L'altro ghorno, esentomi scapato un santione datosi che mi era accaduta una petra pisante sopra un pedi, lui m'assicutò campagna campagna con la fance taghliente ni la mano facendo voci che mi voleva taghliare la testa.

La simana pasata che avento sintito che a Vicàta ci fose stato il Martorio ci pighliò la smania, addivintò roso nela faccia e dise che cuesta volta a Giuda non ci l'avrebe fata pasare liscia e che ala correnza era capaci di amazarlo con le sue di propie mani. Esento che Tutù è fora di casa da aieri e stanote non si è aricampato, ho fato la pinzata che

capaci ca si ni è vinuto a Vicàta per
amazare Giuda.
Tanto a scanzo di risponzabilità mia e
di la moghliere mia sighnora Spirticato
Rosalia.

Croci di Vasapolli Onofrio

Io sotoscrito Mercurio Alfonzo Vice Sindaco di Montereale dichiaro che la croci
di Vasapolli Onofrio analfabetico è pro-
pia di Vasapolli Onofrio e mi firmo

Mercurio Alfonzo

tu chE Fai

la parTe

di giuda

sei peggio

di lui

L'ARALDO di MONTELUSA

Gerente: Pasquale Mangiaforte   Venerdì, 21 marzo 1890

(Siam certi di far cosa gradita ai nostri affezionati lettori pubblicando, in occasione dell'odierna rappresentazione del "Mortorio" a Vigàta, questo dotto scritto dell'illustre professore Consolato Federigo, noto studioso di costumi popolari.)

La "Pastorale" e il "Mortorio"

Appo le popolazioni sovratutto contadine dell'occidental parte della nostra bella Trinacria hanvi due rappresentazioni in sommo a tutti grate. Senza tema di fallanza, si nomano l'una la "Pastorale", che pubblicamente vien recitata ai dì delle Festività pel Santo Natale, e l'altra comunemente appellata il "Mortorio" che vien posta in sulla piazza nei dì della Settimana Santa.

La "Pastorale", il cui vero titolo è "L'Emancipazione dell'uomo operata dal Verbo", venne composta, in un prologo e atti tre, nel tardo Settecento da padre Fedele Palermo Tirrito da San Biagio Platani, cappuccino. Essa venne tanto talmente apprezzata vuoi dal popolino vuoi da' borgesi che ci fu persin un paese, a detta dello studioso Alfonso Zaccaria, che "presso di sé tenne una compagnia di comici vaganti per ben più di un semestre e assicurò agli attori un campicello da vangare e coltivare a fave e altri ortaggi, purché ogni sera rappresentassero la 'Pastorale' (con l'obbligo però di un 'Nardo' locale)".

L'opera è di precipua coralità e piglia aire dalla lotta infra Lucifero e l'Angelo che voglion l'uno impedire la Nascita del Salvatore, l'altro di contra con qualsivoglia mezzo agevolarla. Muovesi nel contorno gran folla di personaggi, infra i quali però tra tutti spicca quello del balordo e buffo pastore nomato "Nardo". Suolsi tal perso-

New Orleans

344 Camp Street • New Orleans, LA 70130

Per le mie
letture
luaclesi.

naggio affidare a un improvvisato attore, scelto tra coloro che nel paese loro distinguonsi per contadina arguzia. La parte di Nardo è diperciò improvvisa, ciò significante che assai si avvale del momentaneo estro di chi la interpreta. Nardo, ha egregiamente scritto lo Zaccaria già citato, "impersona lo spirito ribelle della popolar platea, i moti di rivolta al servaggio, la natural inclinazione al motteggio, al controvertire derisorio, alla comicità grassa".

È ben perciò che le più esilaranti invenzioni de' Nardo locali non son restate entro le mura paesane, ma trasferite sonsi da paese a paese, mantenendo le innovazioni loro a sfavore dell'originaria "Pastorale" di padre Fedele, della quale è oramai arduo estremo ristabilir le pagine vere qualsieno. Infra le scene spurie in repertorio stabilmente entrate, memorabile quella nella quale Nardo, travestitosi con barba finta e panni estranei, imbattesi nel Diavolo alle porte di Betlemme. Et de hoc satis, perché il nostro precipuo intento è quello di illustrar ai sconoscenti il "Mortorio" che oggi si rappresenta.

Del "Riscatto di Adamo nella morte di Gesù Cristo" (che invero questo è il titolo originale del comunemente inteso "Mortorio") è autore il cavaliere Filippo Orioles. Di questo scrittore nulla mi è riuscito di sapere per cercar che fatto abbia in libri e manoscritti. Per buona ventura ne troviam cenno nel "Diario Palermitano" del marchese Villabianca, parte finora inedita, nella quale leggesi quanto appresso:

"Agosto 1793. Per due ragioni mi prendo l'eccezione di far nota in queste memorie della morte di una persona minuta qual fu Filippo Orioles. La prima perché egli fu un buon poeta e improvvisatore di versi latini, avendo lasciato il suo nome ne' pubblici torchi colle sue opere di drammi, e posto in scena il mortorio di Cristo. La seconda è che portava l'età di centosei anni, che rade volte si vide dagli uomini."

Occorre chiarir che il Villabianca chiamando l'Orioles "persona minuta" riferiscesi non al suo aspetto fisico, ma bensì al ceto onde pare aver ragione chi sostenne l'Orioles non aver diritto al titolo di Cavaliere che egli oltretutto lasciava intendere premettendo al cognome suo la nobiliar particella "de".

La tragedia consta di tre atti con un prologo ed elenca ben 44 personaggi che però, come avverte l'Autore istesso nell'edizione a stampa del 1750, posson ridursi a 19. Il "Riscatto d'Adamo" trovò tanto favore tra noi che maggior non si ebbe forse mai per nessuna tragedia d'autor siciliano. Comunissime e infinite le copie manoscritte in Sicilia tutta, guaste da spropositi, lazzi, arbitrarie interpolazioni, modifiche.

Tra queste modifiche, la più rilevante appare esser quella concernente la morte di Giuda. Nell'edizione a stampa del 1750, che dovrebbe esser stata visionata al torchio dall'Autore, ma pare che non sia stato così, la morte di Giuda veniva suggerita allo spettatore attraverso un quadro nel qual si vedea il traditore con una corda a cappio in mano che scappava fuor di scena per andare ad impiccarsi, inseguito dalla Speranza, dal Perdono, dal Pentimento e dalla Fede. Questi quattro personaggi, che forman il corteggio di Giuda, l'Autore istesso, nella prefante Avvertenza, consiglia gli eventuali allestitori di ometterli, lasciando che sia il solo traditore ad abbandonar la scena. In tutta evidenza, l'Orioles reputava non esser agevol cosa rappresentare a vista di tutti un'impiccagione, sia pur quella di Giuda, vuoi sotto il riguardo morale (di certo un curial censore sarebbe insorto e con giustezza) vuoi sotto il riguardo pratico (essendo molto forte il periglio di un mortal incidente).

Epperò siffatta uscita di scena, sia pur condita da alti lai e disperate invocazion di pentimento, non giungeva, presso il pubblico, a effetto catartico veruno.

A qualcuno sorse allora alla mente di far sì che l'Iscariota, raggiunto con la corda a cappio in mano il luogo deputato pel suicidio, nel quale trovavasi approntato un finto albero, legava la corda a un ramo e nel mentre che stava infilando la testa nel cappio, disperato invocava il Dimonio acciocché la terra gli si aprisse disotto ai piedi. Il che precisamente avveniva, tra l'orrore de' circumstanti, mercé l'apertura di acconcia botola, al tempo opportuno manoprata dall'attore istesso con accorto movimento del piede. Siffatta soluzione scenica incontrò favore grande. Ed è quella istessa che è stata prescelta, da lunga pezza, per le rappresentazioni del "Mortorio" in Vigàta.

Consolato Federigo

Nota:
L'Autore, Andrea Camilleri, ha lungamente esitato a inserire tra i documenti questo articolo del professor Consolato Federigo. Non perché dica inesattezze, ma perché cita assai liberamente, e con parecchi svarioni, il saggio di Alfonso Zaccaria plagiando inoltre ben due pagine intere dovute a Giuseppe Pitrè ("Spettacoli e Feste popolari siciliane"). Ce ne scusiamo con l'avvertito Lettore.

—— REGIA DELEGAZIONE ——
—— di PUBBLICA SICUREZZA
—— di VIGÀTA ——

Al Signor Questore di
Montelusa

Vigàta, li 21 marzo 1890

Num. Prot. 209
Oggetto: Rapporto giornaliero

Si rende noto che in Vigàta, nella giornata
di oggi 21, Venerdì Santo, in occasione della
rappresentazione del "Mortorio" sono conflui-
ti nella Piazza Grande, oltre ai cittadini in
questa città abitanti, puranco duemila fore-
stieri all'incirca, convenuti da' paesi circonvicini.

L'Ordine pubblico è stato pur sempre mante-
nuto mercè il generoso impegno de' miei sottoposti che si son prodigati senza risparmio
alcuno.

Sono stati tratti in arresto i seguenti individui i cui nomi e cognomi trovansi in alligato:

1) Numero sei borseggiatori;

2) Numero nove persone coinvolte in tre distinte e separate risse;

3) Un individuo che, apertasi la patta delle
braghe, mostrava le vergogne sue erette a signore, signorine e giovinette. L'arresto è
stato prontamente operato, oltre che per

porre fine allo sconcio, magari per sottrarre l'uomo alla furia di mariti, fidanzati e fratelli;

4) Numero tre individui che volevano a tutti i costi sedersi nei posti riservati alle Autorità;

5) Una persona che gridava a squarciagola "morte al Re e a tutti i tiranni!";

6) Un'altra persona che gridava a gran voce "il Sindaco è un grandissimo cornuto!";

7) Un individuo che, dopo aver bevuto tre litri di vino di fila, si rifiutava di pagar il conto e non pago tentava, in parte riuscendoci, d'appiccar fuoco al locale.

Nel corso delle sullodate operazioni due guardie hanno riportato contusioni e abrasioni di lieve entità.

Si fa infine presente che uno spettatore ignoto ha lanciato un coltello del tipo detto "liccasapuni" contro l'attore, nello specifico caso il ragioniere Antonio Patò, che vestiva i panni di Giuda. Fortunatamente l'arma fallava il bersaglio e andava a infiggersi sulle tavole del palcoscenico. Lo sconsiderato gesto non va però pigliato a considerazione quale fatto personale nei riguardi del ragionier Patò, ma bensì come spontanea protesta di un pio credente avverso il tradimento di Giuda.

Il Delegato di P.S.
(Ernesto Bellavia)

Stazione
dei Reali Carabinieri
di Vigàta

Al Signor Capitano
Bosisio Arturo Carlo
Comando Reali Carabinieri
Montelusa

Vigàta, li 21 marzo 1890

Oggetto: Rapporto riservato
Num. Prot. *(Non protocollato)*

Signor Capitano,
porto a sua conoscenza quanto segue.

Dopo una mezzora all'incirca che erasi terminata la rappresentazione del "Mortorio" in sulla Piazza Grande mentre che lei trovavasi occupato nello scambievole saluto con gli altri ospiti, si presentava a me, visibilmente agitato e scomposto, il signor marchese Simone Curtò di Baucina il quale dichiarava quanto segue.

Premesso che egli sosteneva che mai e poi mai avrebbe più concesso l'uso del cortile padronale e de' quattro annessi magazzeni datosi lo stato di lerciume nel quale erano stati ridotti dopo che le comparse se ne

26

erano servite (avevano magari fatto i loro bisogni, piccoli e grossi, persin dentro l'artistica fontana che campeggia al centro del predetto cortile), egli proseguiva dicendo quanto segue.

Essendosi recato al termine della rappresentazione a trovare la signora sua madre, la principessa Imelda Sanjust degli Orticelli nata Piovasco di Rondò, la quale erasi refutata di assistere al "Mortorio", datosi che per la signora principessa ogni qualechesiasi spettacolo di teatro, magari se in onore di Nostro Signor Gesù Cristo Santo, è sempre opera del Dimonio, e che perciò era rimasta nell'ala a lei riservata al terzo piano del palazzo, ivi non la rinveniva. Non avendola rinvenuta nemmanco nelle camere vicine, pigliato da giusta preoccupazione, mettevasi a cercarla in ogni stanza del palazzo. La rinveniva alfine nella Cappella privata, locata al primo piano, priva di sensi e con una ferita, fortunatamente assai leggera, all'altezza della tempia mancina. Prontamente soccorsa, la signora principessa che, a malgrado dei suoi ottantatré anni, è di sana e robusta costituzione fisica, si riprendeva in breve e raccontava a' parenti trepidanti quanto segue.

Nel mentre che la rappresentazione svolgevasi all'esterno del palazzo, la signora principessa aveva sentito impellente necessità di domandare perdono a Dio per la bestemmia che, a suo parere, in sulla piazza veniva gridata, recitando d'urgenza alcune poste del Santo Rosario. Quindi, lasciata la sua ala abitativa, aveva fatto quanto segue.

Scesa al primo piano, era entrata nella Cappella privata da una porticina laterale. La Cappella, da noi sopralluogata, non ha finestre, piglia solo luce da due grossi ceri posti sopra all'Altare maggiore e da alcune candele sparse di qua e di là. Fatto appena un passo oltre la soglia, la signora principessa erasi di colpo fermata nell'udire un gemito sommesso e lamentoso che da qualche parte a provenir continuava. Aguzzando la vista, scorgeva quanto segue.

Proprio nell'inginocchiatoio suo personale, il più presso all'Altare, si muoveva ondeggiando un confuso groviglio dal quale il lamento dipartivasi. Appressatasi ancor di più senza essere udita, aggelava per l'orrore scorgendo quanto segue.

Con gli avambracci appoggiati all'inginocchiatoio, col resto del corpo tutto all'indietro proteso, una donna, le vesti raccolte sopra la schiena, offriva il nudo posteriore a un uomo che, le braghe calate, gagliardamente ne approfittava. Sconvolta, incapace di emettere un grido, la signora principessa si faceva purtuttavia più da presso, per iscoprire se i due copulanti fossero putacaso famigli, ma, non avendoli riconosciuti come tali, alla fine veniva sopraffatta dall'orrore dell'infame sacrilegio e sveniva, sentendosi mancare le forze. Nella caduta, batteva la testa procurandosi la leggera ferita. I due rei profittavano del mancamento della nobildonna per riacconciarsi e darsi a precipitosa fuga.

Il signor marchese Curtò di Baucina pertanto chiede quanto segue.

Venire fermati e quindi sottoposti a stringente interrogatorio tutti i partecipanti al "Mortorio" (attrici e attori esclusi) al fine di identificare le due comparse, il maschio e la femmina, le quali, evidentemente introdottesi di soppiatto nel palazzo, hanno profanato la Cappella nonché la vista della signora principessa.

Ho risposto quanto segue.

Che avremmo fatto il possibile e magari l'impossibile per identificare i colpevoli.

Come lei però ha avuto modo di constatare personalmente, le comparse impiegate nel "Mortorio" superano il centinaro. Sarebbe come andare a cercare un ago nel pagliaro. Devo comunque iniziare l'indagine? E se putacaso li identifico, di cosa li accuso?

Tanto per sua conoscenza.

Il Maresciallo dei RR CC
(Paolo Giummàro)

L'ARALDO di MONTELUSA

Gerente: Pasquale Mangiaforte   *Sabato, 22 marzo 1890*

La grande rappresentazione del "Mortorio" a Vigàta

Ieri pomeriggio si rappresentò in Vigàta l'annunciata e sì attesa recita del "Mortorio" che però ebbe inizio con qualche minuto di ritardo per l'attesa dell'arrivo di alcune Autorità. Una folla strabocchevole, allegra e festosa, ha gremito all'inverosimile la Piazza Grande, alcuni giovinastri si sono arrampicati persino su i tetti delle case, i balconi erano colmi, da ogni finestra si affacciavan teste.

Come si è già detto, quest'anno il palco per la rappresentazione, lungo metri 30, profondo metri 10 e alto metri 1 e 86, ricoverto dalle magnifiche scene proprie ad ogni luogo deputato, dipinte dal famoso pittore di carretti Giacomo Schilirò, è stato eretto lungo la facciata del palazzo dei marchesi Curtò di Baucina, prospiciente la Chiesa Madre. I magnifici e variopinti costumi, all'unisono coi trucchi scenici e con gli attrezzi, sono stati affittati, come ogni anno, dalla ditta Ronconi & C. di Palermo. Un vero e proprio colpo d'occhio era il continuo movimento delle comparse, oltre cento, guidate dal Comandante delle Guardie civiche Santoro Alessandro. Quattro di queste Guardie, in uniforme di gala, stavano una per ogni angolo del palco. Quest'anno c'è stata una graditissima e commovente innovazione: al momento della salita al Calvario, la locale banda municipale, egregiamente diretta dal Maestro Salvatore Cusumano, ha eseguito una dolente marcia funebre all'uopo composta dal Maestro.

E veniamo alle signore attrici e ai signori attori dopo aver fatto una necessaria e breve premessa storica.

Insino al 1885, erano stati

contadini, pastori, carrettieri e pescatori a prestarsi per interpretar le parti, mentre Gesù veniva magistralmente reso dall'arciprete don Spiridione Randazzo al quale era affidata anche la responsabilità artistica dell'intero spettacolo. Quando don Randazzo, appunto nel 1885, compì il sessantesimo anno di età, egli dichiarò pubblicamente di non poter più reggere il pesante fardello di quella parte e inoltre troppo differiva la sua figura d'uomo carco d'anni da quella del trentatreenne Redentore. Posesi allora il problema della di lui sostituzione.

Per tradizione, e in ogni luogo dell'Isola, la parte di Gesù da sempre viene affidata a un uomo di Chiesa, non parendo acconcio far indossare i sacri panni a persona che almen non sia usa alle cose di Dio. All'epoca i preti operanti a Vigàta, a parte il citato don Randazzo, eran sei e precisamente don Saverio Spreafico che pativasi di tale obesità che rendevagli difficile la deambulazione; don Liborio Interdonato che, all'incontrario di don Spreafi-

co, era tutto pelle e ossa sì da esser scherzevolmente nomato da' suoi parrocciani "'a crozza" (il teschio); don Basilio Persichella affetto da vistosa zoppia in seguito al franamento del pulpito dal quale predicava; don Liberato Tortorella ch'era ottuagenario; don Cono Risippa pur lui in età avanzata. Restava don Filiberto Archirafi, trentacinquenne di bello aspetto, il quale in un primo momento si professò onorato e accettò l'incarico. Ma al terzo giorno di prove dichiarò di non sentirsi all'altezza della parte e non ci fu verso dal farlo recedere dal suo proposito. Per completezza di cronaca va soggiunto che don Archirafi l'anno appresso ottenne di partirsene come Missionario in Affrica. Rompendo ogni indugio col piglio che gli è abituale, don Randazzo designò alla parte il signor Erasmo Giuffrida, maestro nella locale scuola elementare, uomo pio, maritato, padre di figli. Com'è natura dell'uomo, la decisione di don Randazzo che infrangeva una centenaria tradizione sollevò molteplici e accese discussioni. Oppositori vigatesi arrivarono a far affiggere manifesti nei quali si riprovava la scelta dell'arciprete. Il deciso intervento di S.E. Rev.ma il Vescovo di Montelusa, a favore di don Randazzo, pose termine all'incresciosa diatriba. Il maestro Giuffrida, accettando, mise una sola condizione e cioè che a interpretar la parte di Giuda, in sostituzione del pur acclamato attore che da anni la sosteneva, fosse il suo ex compagno di scuola e amico ragionier Antonio Patò, montelusano, Direttore della locale filiale della Banca di Trinacria, anco lui maritato e padre di figli, persona di eccelsa reputazione. Il ragioniere Patò di buon grado si piegò al desiderio dell'amico.

L'ingresso infra gli attori del maestro Giuffrida e del ragioniere Patò produsse un sostanziale mutamento di ceto tra i volenterosi partecipanti al "Mortorio". Mentre pescatori e contadini continuarono a salire sul palcoscenico, ma in vesti di comparse, signore e signori della borghesia vigatese si fecer obbligo d'interpretare le parti principali della sacra rappresentazione.

Passiamo ora allo spettacolo di ieri pomeriggio.

Principiamo dalle gentili signore. Prima tra tutte, la signora Annamaria Zigaìna la quale trovò, come Maria, accenti tanto strazianti e disperati per la morte del diletto Figlio da molcere ogni più indurito cuore. Due spettatrici, per la commozione, venner meno. Il dottor Angelo Sommatino, che prudentemente e con alto senso del dovere suo erasi portato appresso la valigetta medica, prontamente intervenuto faceva rinvenire le due donne. Quindi vogliamo ricordare la signora Giuseppina Corleone che prestò la sua ammaliante presenza alla tormentata figura di Maria Maddalena; Marta trovò la sua migliore espressione nella signora Lucia Frangipane; Veronica ebbe il volto e la voce suadenti di Angiola Riggio; la Fede, la Speranza e la Carità ricevettero dalle tre gentili sorelle Camilleri, Andreina, Elisabetta e Maria Carmela, l'impronta di una intensa spiritualità.

Tra i signori attori (che vorremmo citar tutti per impegno e bravura iscusandoci quindi per le omissioni), qui ricordiamo il maestoso Caifas di Vincenzo Lagùmina dalla possente voce; il drammatico Pietro di Bernardo Provenzano che riscosse un frenetico applauso nella scena del rinnegamento mentre un gallo (perfettamente imitato dal pollivendolo Mattia Petrosino) cantava tre volte; il Simon Leproso di Leoluca Gabarella; il Pilato pavido di Franco Lo Forte; l'Erode di Filippo Mancuso; il Putifar di Carmelo Nicolosi; il Centurione di Gaetano Spampinato.

Un cenno a parte merita l'interpretazione di Cristo che ieri diede il maestro Erasmo Giuffrida. Egli non solamente con la voce, ma puranco con l'espressione del corpo tutto (mirabile la scena della fustigazione!), seppe rendere la tremenda sofferenza, il sublime patimento di Chi volle incarnarsi per redimere l'umanità. Quando, oramai crocefisso, pronunziò le parole "Signore, Signore, perché m'abbandonasti?", furon in tanti a cadere in ginocchio infra gli spettatori, ripetutamente percotendosi il petto col pugno e gridando tra il pianto il "Mea culpa".

Non meno trascinante fu l'interpretazione che del personaggio di Giuda diede il ragionier Antonio Patò il quale, da cinque anni a questa parte, sempre più affina la sua arte sopraffina. Il quadro dell'Ultima Cena è stato un autentico trionfo per i modi ipocriti e insinuanti di Giuda. La scena della sua impiccagione poi, con il successivo sprofondar sottoterra, è stata accolta da un subisso d'applausi.

Le Autorità presenti si sono molto compiaciute per l'elevato spettacolo con il Sindaco di Vigàta, Caruana Cavalier Antonio, e con l'arciprete don Spiridione Randazzo, vera anima della rappresentazione.

Marcello Saponara

Al Signor Questore di
Montelusa

Vigàta, li 22 marzo 1890

Num. Prot. 210
Oggetto: Segnalazione scomparsa

Stamane, passata di poco l'alba, venivo
svegliato da un insistente bussare alla porta
di casa. Apertola, trovavomi innanzi la signora Mangiafico Elisabetta maritata col ragioniere Antonio Patò, Direttore della locale
filiale della Banca di Trinacria, persona
che, come ebbi a scrivere appena due giorni
orsono, gode della stima di ogni probo cittadino di Vigàta e che ieri dopopranzo ha in-
terpretato la parte di Giuda nella rappresentazione del "Mortorio".

Tra copiose lagrime, la signora mi comunica-
va che il di lei marito non aveva fatto ritorno
a casa nel corso della nottata, cosa mai prima
avvenuta, e che quindi temeva che gli fosse capitato un qualche incidente. Riuscivo, con ac-
corte parole, a calmarla alquanto e mi facevo
ragguagliare di maggiori particolari. Ella mi
informava di non avere rivisto più il coniuge
dal preciso momento in cui questi, vestito de'
panni di Giuda, era sprofondato nel sottopalco, come lo spettacolo richiede. Dopodiché la

signora, senza aspettare che la rappresentazione fosse terminata, si era alzata ed erasi
affrettata a casa propria per accudire ai due
suoi bambini momentaneamente affidati, per la
durata del "Mortorio", ad un'anziana vicina di
casa. Stupivasi, però non preoccupavasi oltre-
modo che il marito non fosse tornato per l'ora
di cena, ma suppose che egli avesse deciso di
partecipare alla tavolata che di solito vien
fatta dopo lo spettacolo tra i principali partecipanti. Rimase però alquanto stupita per il
fatto che il marito non l'avesse avvertita o
fatta avvertire dell'intenzione di cenar fuora,
datosi che l'abitazione del ragioniere Patò
trovasi a poche decine di metri dalla Piazza
Grande, dove tra l'altro è magari allocata la
filiale della Banca di Trinacria.

Ella invano attese a lungo il rientro del
marito, cadendo col passar del tempo sempre
più nell'angoscia, ma niente risolvendo perché non poteva muoversi da casa dato che non
aveva nessuno cui affidare i bambini e non
voleva svegliare nel cuore della notte l'anziana vicina di casa. Finalmente, udendo da'
familiari rumori che la vicina erasi alzata,
tornava ad affidarle i piccoli e correva a
svegliarmi.

Rivestitomi, mi recavo con la signora nella
Piazza Grande dove, davanti al palco, vedevo
già riuniti il mastrodascia Vapano Cosimo e
alcuni suoi uomini che apprestavansi a dare
inizio allo smantellamento del palcoscenico
da loro stessi costruito.

Intimavo al mastrodascia d'interrompere
l'imminente smontamento e seguito dalla signora mi infilavo nel sottopalco.

La prima luce del giorno permettevaci di scorger ogni particolare del luogo.

Il palcoscenico, costruito con quelle pesanti assi di legno che son nomate "farlacche" e che servono legate tre per volta a far da ponte tra la banchina del porto e i bastimenti, ha una lunghezza di metri trenta, è profondo metri dieci ed è alto metri uno e centimetri ottantasei. La parte anteriore del palco, quella che guarda verso il pubblico, è coperta, dal bordo fino a terra, da assi di legno sovrapposte sì da formare una vera e propria parete onde impedire di vedere ciò che nel sottopalco avviene. Ma gli altri due lati e la parte posteriore, prive di tale barriera, consentono facile accesso al sottopalco. Ed è ben per questa ragione che il signor Sindaco volle che quattro Guardie civiche stessero ai quattro angoli del palco, onde evitare che, durante la rappresentazione, qualche bambino o qualche avvinazzato potesse accedere al sottopalco causando disturbo. Il sottopalco appare come una vera e propria foresta di pali che saldamente sorreggono le sovrapposte farlacche, le quali farlacche a loro volta devon sorreggere il peso di più di cento persone senza considerare le massicce scene. La botola attraverso la quale sparisce Giuda trovasi allocata a destra verso la fine del palco, sotto un finto albero di legno molto ramoso. In perpendicolo alla botola trovasi nel sottopalco una scala di singolare foggia. Invitato il mastrodascia a spiegarmene l'uso, egli mi disse che tale scala, in tutto simile a un grosso cubo quadrato, cavo all'interno, con i gradini disposti su tre lati e la piattaforma alta ricoperta da una imbottitura di pesante stoffa, lui l'aveva fabbricata su precise indicazioni del ragioniere Patò il quale, cadendo nel sottopalco attraverso la botola, diverse volte nelle prove e negli spettacoli, aveva rischiato di rompersi l'osso del collo. Osservai che tale scala, in sostanza, poteva puranco rappresentarsi come una grossa cassa vacante. La scoperchiai con l'aiuto del mastrodascia: dentro non vi rinvenimmo alcunché. Del ragioniere, naturalmente, non vi era traccia alcuna.

La signora Mangiafico, la quale evidentemente temeva di rinvenire nel sottopalco il marito gravemente ferito, rasserenossi alquanto. Prima di riaccompagnarla a casa, garantendola che avrei di subito principiato le ricerche, ordinavo al mastrodascia Vapano di lasciare le cose come stavano servendomi il palco e la scala sottoposta per ulteriori esami.

A questo punto, completamente fuori di sé, sortiva dal portone del palazzo il signor marchese Simone Curtò di Baucina il quale pesantemente aggredivami intimandomi d'impartire un contrordine al mastrodascia Vapano acciocché il palco venisse istantaneamente smontato. Sosteneva che la vista di quell'apparato produceva nausea e vomito alla di lui signora madre, la principessa Imelda Sanjust degli Orticelli, alla quale perciò veniva impedito d'affacciarsi ai balconi di casa com'era solita fare.

Per tutta risposta, riconfermavo l'ordine al mastrodascia e mi allontanavo per accompagnar la dolente signora Mangiafico in Patò.

Indi, ciò fatto, recavomi nell'abitazione del ragioniere Tortorici Vitantonio, Cassiere principale della filiale locale della Banca di Trinacria, che sapevo essere in possesso di una seconda chiave atta ad aprire il portone della Banca. Comprensibilmente allarmato, il ragioniere Tortorici si metteva a disposizione. Entrati, abbiamo trovato i locali in perfetto ordine. Magari l'officio del Direttore presentavasi allo stesso modo. La cassaforte era chiusa. Alla richiesta d'aprirla in mia presenza con l'apposita chiave (l'altra l'aveva con sé il ragioniere Patò), egli refutavasi essendo necessaria una speciale autorizzazione della Direzione Provinciale di Montelusa per mostrare a un estraneo il contenuto della predetta cassaforte.

Mentre proseguo le indagini, la prego di farmi al più presto pervenire la detta autorizzazione.

Resto in attesa di eventuali direttive.

Il Delegato di P.S.
(Ernesto Bellavia)

Stazione
dei Reali Carabinieri
di Vigàta

Al Signor Capitano
Bosisio Arturo Carlo
Comando Reali Carabinieri
Montelusa

Vigàta, li 22 marzo 1890

Oggetto: Rapporto riservato
Num. Prot. *(Non protocollato)*

Signor Capitano,
stamattina all'alba sono stato svegliato datosi che veniva richiesto il mio celere intervento a causa di quanto segue.
Era scoppiata una violentissima lite nella
famiglia del contadino Giacomazzo Calogero
abitante in località Ravanusella per via che
la di lui moglie, Borgini Santina, lo aveva
rimproverato di quanto segue.
Essersi perso durante la rappresentazione
del "Mortorio" un mazzo di cavoli che avrebbe
dovuto servire da cena (i Giacomazzo hanno
cinque figli piccoli).
La lite era proseguita tutta la nottata,
esplodendo all'alba con lancio di suppelletti-

li, minacce di morte e via di questo passo infra le grida e i pianti dei bambini spaventati.

Riportata faticosamente la pace in famiglia
e provvedendo di tasca mia acciocché potessero comprarsi un altro mazzo di cavoli, stavo
per rientrare che già fattosi era giorno alto
quando sentivo alterate voci di un violento
alterco provenire dalla Piazza Grande dove
stavo per immettermi. Fermatomi all'angolo,
ho sporto la testa e ho visto quanto segue.

Il Delegato di Pubblica Sicurezza, Bellavia
Ernesto, stava in accesa discussione con il
signor marchese Simone Curtò di Baucina a
causa di quanto segue.

Avere il Delegato ordinato al mastrodascia
di non smontare il palco ch'era servito alla
rappresentazione del "Mortorio", mentre invece il signor marchese (evidentemente ancora
agitato per quanto capitato il giorno avanti
nella Cappella privata) ne pretendeva l'immediato smantellamento.

Allato al Delegato di Pubblica Sicurezza
eravi una signora, evidentemente anch'essa di
assai turbata, che in sul momento non capivo
chi fosse.

Mossosi il Delegato con la signora, decidevo di seguirli con discrezione. E ben presto
scoprivo quanto segue.

Trattarsi della signora Mangiafico Elisa-
betta, maritata al ragioniere Antonio Patò,
Direttore della filiale locale della Banca di
Trinacria.

Accompagnata la signora fin dentro il portone di casa, il Delegato immediatamente ne
risortiva e recavasi di grandissima prescia
all'abitazione del ragioniere Tortorici Vi-

tantonio, *Cassiere principale della medesima Banca. Ivi si tratteneva alquanto e poi ne risortiva col Tortorici il quale apriva il portone della filiale e i due vi penetravano.*

Un bel pezzo restavanci, quindi sono usciti nuovamente e il Delegato andava in Delegazione e il Tortorici tornava a casa.

Pigliavo allora l'iniziativa di parlare col mastrodascia il quale mi ha riferito quanto segue. Avere il Delegato compiuto una minuziosa ispezione del sottopalco e della sottostante scala, senza peraltro rinvenirvi niente di interessante e senza peraltro voler specificare l'oggetto della sua ricerca.

Ho perciò pensato quanto segue.

Qualcosa di strano deve essere capitato al ragioniere Patò. Qualcosa che riguarda lui personalmente o ha magari a che fare col suo essere Direttore della filiale della Banca di Trinacria?

Vogliamo lasciare tutto nelle mani della P.S.?

Attendo disposizioni.

Il Maresciallo dei RR CC
(Paolo Giummàro)

Stazione
dei Reali Carabinieri
di Vigàta

Al Signor Capitano
Bosisio Arturo Carlo
Comando Reali Carabinieri
Montelusa

            Vigàta, li 22 marzo 1890

Oggetto: Informativa riservata
Num. Prot. (Non protocollato)

Signor Capitano,
faccio seguito al rapporto riservato inviato-
le stamattina per informare di quanto segue.
In un battibaleno si è sparsa per tutta
Vigàta la voce che il ragioniere Antonio Patò
da ieri pomeriggio tardi cioè da quando è
sprofondato nel sottopalco non è più ricom-
parso alla superficie né quale Giuda né quale
ragioniere.
Ecco la cagione dell'agitato andare e venire del Delegato di P.S.!
Ho notato che piccoli assembramenti di vigatesi si son formati nella Piazza Grande davanti al palco ancora eretto e piantonato da
un agente di P.S.

Datasi la giornata festiva e datosi che do-
mani domenica sarà ancora più festiva trat-
tandosi della Domenica di Pasqua, prevedo
quanto segue.
Inviare alcuni Carabinieri nella Piazza
Grande al fine di evitare discussioni e
risse.
A tal uopo sarebbe meglio se mi venissero
da Montelusa inviati due o tre Carabinieri di
rinforzo.
Ma proprio proprio dobbiamo rassegnarci a
lasciare tutto nelle mani della Pubblica Si-
curezza?
Con osservanza

Il Maresciallo dei RR CC
(Paolo Giummàro)

*Comando Provinciale
dei Reali Carabinieri
Montelusa*

Il Capitano Comandante

Al Maresciallo
Paolo Giummàro
Stazione RR CC
Vigàta

Montelusa, li 22 marzo 1890

Maresciallo!
Risultami del tutto incomprensibile questa
sua volontà di volere a ogni costo andare a
infognarsi in una questione che non ci riguarda avendo, a quanto si evidenzia, la signora Patò ritenuto di rivolgersi alla Pubblica Sicurezza piuttosto che a noi.
Cos'è questa smania di gareggiamento?
Lei si è perfin spinto a pedinare (questa è
la parola giusta) un onesto funzionario che è
abilitato, quanto lei, a far rispettare la
Legge.
Questo suo atteggiamento è assolutamente
deprecabile.
Purtuttavia, l'attenzion vigile su tutto
quanto può accadere in Vigàta è compito suo.
Solo sotto questo profilo lei può continua-

re a interessarsi, ma con discrezione somma, dell'operato della Delegazione di P.S. rendendomi edotto degli eventuali sviluppi.

Il Capitano Comandante
(Arturo Carlo Bosisio)

Al Signor Questore di
Montelusa

Vigàta, li 22 marzo 1890

Num. Prot. 211
Oggetto: Indagine su scomparsa

Proseguendo nelle indagini sulla scomparsa
del ragioniere Patò Antonio e restando sempre
in attesa, da parte di chi di dovere, del-
l'autorizzazione atta a consentire l'apertura
in mia presenza, con relativa ispezione,
della cassaforte della filiale vigatese della
Banca di Trinacria, ho convocato in Delegazione il signor Santoro Alessandro, Comandante delle Guardie civiche di questo paese, responsabile delle oltre cento comparse partecipanti al "Mortorio". Egli stesso è uso, op-
portunamente travestito, di salire in sul
palcoscenico onde meglio guidare i movimenti
delle comparse.

Il Santoro, dopo avermi comunicato di non
essere in possesso dell'elenco nominativo dei
partecipanti in quanto personalmente stilato
dall'arciprete don Spiridione Randazzo, ha
dichiarato di non avere notato niente di particolare né prima né dopo lo sprofondamento
nel sottopalco di Giuda, vale a dire del ra-

46

gioniere Patò. Recatomi nella Chiesa Madre, don Randazzo mi ha sbrigativamente intrattenuto dati gli innumerevoli suoi impegni fornendomi però la dettagliata lista di tutti i partecipanti al "Mortorio" e la disposizione per i ringraziamenti, vale a dire in che ordine le attrici, gli attori e le comparse dovevano disporsi sul palcoscenico, in fila e faccia al pubblico, durante gli applausi di rito.

Da questo schema si evinceva che il ragioniere Patò, al momento dei ringraziamenti, avrebbe dovuto pigliare posto tra il signor Lagùmina, che faceva Caifas, e il ragioniere Lo Forte che faceva Pilato.

Andato a casa del Lagùmina, non lo rinvenivo in quanto erasi recato in una sua campagna nei pressi, così dichiarommi la di lui moglie.

Il ragioniere Lo Forte, convocato, presentavasi immantinenti in Delegazione. Egli affermava che il ragioniere Patò, al termine dello spettacolo, non erasi presentato a raccogliere gli applausi in quanto non era apparso tra il Lagùmina e lo stesso Lo Forte come invece avrebbe dovuto fare e come aveva sempre fatto nel corso delle prove precedenti. Di questa assenza, il Lo Forte erasi preoccupato, tanto più che il Lagùmina, mentre scrosciavano gli applausi, gli aveva mormorato:

"Ma unni sinni ì Patò?"

(Ma dove se ne è andato Patò?)

Guardarono nella fila degli attori se per caso si fosse sbagliato di posto, ma non lo videro.

Sicché a Lo Forte era insorto il dubbio che il suo amico, dopo la caduta attraverso la botola, si fosse fatto male, magari una slogatura che gli impediva la deambulazione o un qualsiasi movimento.

Quindi, terminati gli applausi, con ancora indosso il costume di Pilato, si infilava carponi nel sottopalco dove non rinveniva traccia alcuna del Patò, a magari che lo avesse a gran voce chiamato.

Ciò constatato, recavasi allora nel magazzeno adibito a spogliatoio maschile per i signori attori. Nello spazio che era stato riservato al ragioniere Patò perché potesse cangiarsi d'abito vestendosi e spogliandosi del costume, non trovò non solo il suo amico, ma puranco tutto ciò che gli era attinente come abiti civili, scarpe, etc.

Mancava magari il costume che, come convenuto, avrebbe dovuto essere lasciato sul posto.

Fattosi persuaso che il ragioniere, per ragioni di tutto suo proprie, avesse deciso di non partecipare ai ringraziamenti e di tornarsene a casa, si metteva l'anima in pace. Pensò pure che il ragioniere si fosse portato il costume a casa forse perché, durante la caduta, erasi prodotto un qualche strappo e intendesse farlo ricucire.

Magari il Lagùmina conveniva in questa possibile spiegazione del fatto.

Ora, poiché tra lo sprofondamento di Giuda e la fine dello spettacolo ci passano una ventina di minuti, ai quali vanno aggiunti i lunghi e prolungati applausi, puranco se ferito il ragioniere Patò avrebbe avuto tutte le possibili occasioni per richiamare su di sé l'attenzione degli altri e farsi prestare soccorso. Cosa che però non avvenne.

Se ne conclude quindi che il Patò scomparve, o venne fatto scomparire, nell'arco di tempo che è intercorso tra la caduta nel sottopalco e la presentazione degli attori per ricevere gli applausi.

Venticinque minuti al massimo.

Domani mattina presto, a malgrado sia Domenica di Pasqua, convocherò in Delegazione, a piccoli gruppi, tutte le comparse che al "Mortorio" hanno partecipato.

Il Delegato di P.S.
(Ernesto Bellavia)

L'ARALDO di MONTELUSA

Gerente: Pasquale Mangiaforte   *Domenica, 23 marzo 1890*

Il ragioniere Patò è scomparso?

In Vigàta si è sparsa la voce, non confermata né smentita dalle Autorità locali, che il ragioniere Antonio Patò, da venerdì sera, dopo aver dato una memorabile interpretazione della parte di Giuda nel "Mortorio", non abbia più fatto ritorno a casa.

Il di lui cognato, Capitano del Regio Esercito Arnoldo Mangiafico, di stanza a Caltanissetta, ma prontamente accorso a Vigàta per partecipare alle ricerche, ci ha gentilmente dichiarato essere sua convinzione che il cognato, cadendo nel sottopalco attraverso una botola come la parte richiede, abbia battuto la testa subendo una momentanea perdita di memoria e che ora sia costretto a vagare senza riuscire a ritrovare la strada del ritorno.

Alla famiglia del ragioniere Antonio Patò, in questo giorno di Pasqua che dovrebbe significare serenità per tutti, facciamo giungere i voti di una rapida e felice soluzione del caso.

("Patò è morto o si è nascosto?": scritta murale apparsa a
Vigàta la mattina del 23 marzo 1890, Domenica di Pasqua)

——— REGIA DELEGAZIONE ———
——— di PUBBLICA SICUREZZA
——————— di VIGÀTA ———————

Al Signor Questore di
Montelusa

                    Vigàta, li 23 marzo 1890

Num. Prot. 212
Oggetto: Indagini su scomparsa

Questa mattina, che erano appena suonate le
sette, sono stato chiamato in casa Patò indove la signora Mangiafico Elisabetta in Patò
consegnommi regolare denunzia di scomparsa
del di lei marito.

"Acciocché" ha soggiunto, "convinta come
sono che mio marito è restato vittima di una
temporanea perdita di memoria, le ricerche
possano essere svolte con maggiore ampiezza."

Evidentemente erasi già abboccata e intesa
col di lei fratello, Capitano Arnaldo: costui
ha infatti dichiarato al giornale "L'Araldo
di Montelusa" che la scomparsa del cognato
deve, a parer suo, ascriversi a smemoratezza
dovuta a ferita riportata nella caduta nel
sottopalco attraverso la botola.

Alle ore 8, tornato in Delegazione, ho
principiato l'interrogatorio di coloro che,
come comparse, hanno partecipato alla rappresentazione del "Mortorio" onde sapere se avevano avuto modo di notare alcunché di strano
nel corso dello spettacolo.

E qui è occorso un caso quanto meno curioso che mi permetto di segnalare abbenché non trovandovi attinenza veruna con la scomparsa del ragioniere Patò.

Il primo della lista nomavasi Abbate Giovanni di anni 25, contadino, incensurato, il quale, fin dal declino delle proprie generalità, manifestava segni evidenti di turbamento e nervosismo onde io e il Brigadiere Mandracchia verbalizzante ci scambiavamo un'occhiata di intesa.

Fattolo sedere, gli posi la prima domanda:

"Che hai fatto durante il 'Mortorio'? Se parli e ci dici tutto, capace che non ti capita niente."

Alle mie parole, l'Abbate si gettava in ginocchio e colpendosi con grande foga il petto col pugno chiuso, sclamava a gran voce di tra i singhiozzi:

"I' fu! I' fu! A testa persi! I' fu! Mannatimi a lu carzaru, sbinturatu ca sugnu!"

(Io fui! Io fui! La testa ho perduto! Io fui! Mandatemi in carcere, sventurato che sono!")

Il Brigadiere Mandracchia repentinamente balzava in piedi e immobilizzava l'individuo.

Alla mia domanda:

"Perché l'hai fatto?"

l'Abbate rispondeva esattamente come esattamente riferisco iscusandomi per la crudezza delle parole:

"Nun ci la fici a tinirimi davanti a un culu comu a chiddru!"

(Non ce l'ho fatta a contenermi davanti a un culo come quello.)

"U culu di cu?" (Il culo di chi?)" domanda-

va con voce alterata il Brigadiere Mandracchia, paventando, meco all'unisono, di tro-
varci davanti all'omicidio del ragionier Patò
in seguito allo scatenamento de' più turpi e
bestiali istinti.

"U culu di Margherita" (la traduzione è
inutile) rispondeva, sempre tra atti di con-
trizione, l'Abbate Giovanni.

A farla breve, pare che durante la rappresentazione del "Mortorio", l'Abbate e tale
Fantauzzo Margherita si sian allontanati dal
palcoscenico, abbiano imboccato lo scalone
principale che dal cortile mena all'interno
del palazzo Curtò di Baucina, siano saliti
fino al primo piano appartandosi in ultimo
nella Cappella padronale. Qui, mentre trovavansi in congresso carnale, venivano sorpresi
da una vecchia signora (quasi certamente la
Principessa Imelda Sanjust degli Orticelli)
la quale, a quella indubbiamente sacrilega
vista, veniva colta da mancamento de' sensi.
Di ciò ne approfittavano l'Abbate e la Fantauzzo che, prontamente rimessisi in ordine,
tornavano a infilarsi tra le comparse.

Questo episodio ampiamente spiega il contegno avverso me tenuto dal marchese Simone
Curtò di Baucina quando ho ordinato al mastrodascia di fermare lo smantellamento del palco.

L'Abbate e la Fantauzzo sono perseguibili a
termini di legge?

Grato di una delucidazione,

Il Delegato di P.S.
(Ernesto Bellavia)

Banca di Trinacria
Direzione Provinciale di Montelusa
Il Direttore

Al Signor
Tortorici Vitantonio
Cassiere principale
Banca di Trinacria
Vigàta

Montelusa, li 23 marzo 1890

Il latore della presente, Cannarella Commendator Marcello, Ispettore Generale della nostra Banca, persona a lei ben nota, ha ricevuto l'incarico dalla Direzione Generale di Palermo d'ispezionare la Filiale di Vigàta per il riscontro di eventuali anomalie dopo la scomparsa del Direttore, ragioniere Antonio Patò.

Eppertanto ella userà la compiacenza di mettersi a totale e incondizionata disposizione del sullodato Ispettore Generale Cannarella.

Saluti.

Il Direttore Provinciale ff
(Costantino Grifeo)

Stazione
dei Reali Carabinieri
di Vigàta

Al Signor Capitano
Bosisio Arturo Carlo
Comando Reali Carabinieri
Montelusa

                    Vigàta, li 23 marzo 1890

Oggetto:
Num. Prot. (Non protocollato)

   Signor Capitano,
faccio presente quanto segue.
   Oggi, Domenica di Pasqua, alla fine della
Santa Messa di mezzogiorno, la folla dei fedeli, anziché disperdersi per il passeggio o
per recarsi al Caffè Amendola onde comprarvi
cassate e cannoli, sostava lungamente ne'
pressi del palco, ad essa via via unendosi
altri e numerosi curiosi.
   Naturalmente oggetto delle animate conver-
sazioni era la scomparsa del ragioniere Patò
e il luogo dove essa era avvenuta.
   A un tratto il balcone di rappresentanza di
palazzo Curtò di Baucina spalancavasi con
grandissima rumorata (magari perché non era

56

stato più aperto dalla proclamazione del Regno d'Italia in poi) e su di esso compariva la principessa Imelda Sanjust degli Orticelli nata Piovasco di Rondò, la quale, con voce vigorosa a malgrado dell'età assai avanzata, principiava ad arringare la folla dicendo all'incirca quanto segue.

"Vigatesi! Voi avete commesso un turpe sacrilegio e Dio ve lo farà pagare! Col fuoco dell'inferno sconterete il peccato vostro! Farete la stessa fine di Sodoma e Gomorra!"

E via di questo passo tra improperii e maledizioni di ogni sorta avverso i cittadini di Vigàta i quali, passato un primo momento di sconcerto, prontamente reagivano zittendo in vario modo la principessa, con maggiore o minore rispetto. C'è magari da aggiungere che alcuni non identificati giovinastri approfittavano della situazione per indirizzare alla principessa oltraggiosi cachinni.

La comparizione del signor marchese Simone il quale, con l'aiuto della servitù, riportava all'interno la signora madre, poneva tutto a calma, tanto più che il signor marchese s'iscusava con la cittadinanza e richiudeva il balcone.

Vista la situazione, decidevo quanto segue.

Senza indugio recarmi presso la Regia Delegazione di Pubblica Sicurezza la quale trovavo affollata di persone le quali avevano pigliato parte al "Mortorio" come comparse e ivi incontravo il Delegato Bellavia Ernesto il quale mostravasi alquanto irritato della mia presenza nel suo posto.

A costui esprimevo, con cercate e pacate parole, la necessità che il palco venisse rimosso al più presto dalla piazza onde evitare situazioni di disagio alla cittadinanza e gli riferivo dell'incidente testé occorso tra la signora principessa e la popolazione.

Del che egli, ridendo, diceva testualmente di "stracatafottersene" in quanto il palco gli serviva per ulteriori accertamenti.

Io gli facevo notare, sempre con urbanità, come fosse inutile oramai ogni rilievo sul palco medesimo in quanto che da giorni chiunque lo avesse voluto avrebbe potuto liberamente accedervi tanto di giorno quanto di notte e magari andarci a fare i suoi propri bisogni. Al che il Bellavia voltavami le spalle e si allontanava asserendo che aveva molto da fare e che quindi non intendeva perdere tempo.

Tanto per conoscenza.

Il Maresciallo dei RR CC
(Paolo Giummàro)

Paolo Giummàro

58

L'AVETE VISTO?

Rag. Antonio Patò

→ **MANCIA** ←

A chi fornirà notizie alla signora Patò Elisabetta,
Via C. Colombo 22 - Vigàta

La Signora Patò Elisabetta prega sovrattutto coloro
che in occasione del Lunedì di Pasqua si recheranno
in gita nelle vicine campagne ad avere occhio vigile

Si ringraziano la **Tipografia Mulone & Figli**
nonché l'affissatore comunale Aricò
per il lavoro svolto malgrado la Festività

Al Signor Questore di
Montelusa

                    Vigàta, li 23 marzo 1890
Num. Prot. 213
Oggetto: Indagini su scomparsa

Dall'interrogatorio svoltosi nella giornata
di oggi, domenica 23 marzo, di tutti coloro,
siano maschi che femmine, che in qualità di comparse hanno pigliato parte al "Mortorio", nulla
è emerso che potesse in qualche modo acclarare
la scomparsa del ragioniere Antonio Patò.
Circa l'episodio di fornicazione avvenuto tra
tale Abbate Giovanni e tale Fantauzzo Margherita attendo lumi per poter procedere a termini
di legge. Magari se capisco come la cosa possa
presentarsi alquanto difficoltosa datosi che i
due sono maggiorenni, eran reciprocamente con-
senzienti, non han rubato nulla a casa Curtò,
la ferita della principessa si è fatta da se
stessa nella caduta in seguito allo svenimento,
non si può sostenere che facessero atti osceni
in luogo pubblico. E allora? L'unica sarebbe
informare don Spiridione Randazzo perché sacrilegio c'è sicuramente stato.
    Faccio presente che in Delegazione si è
presentato il Maresciallo dei Reali Carabinieri Giummàro Paolo il quale, con fare al-

60

tezzoso e sgarbato, m'ingiungeva di fare immantinenti smontare il palco ch'era servito per la rappresentazione, asserendo ch'esso disturbava l'ingresso delle carrozze nel portone di palazzo Curtò e che il marchese erasi secolui altamente lamentato.

Il contegno di servile acquiescenza del Maresciallo nei riguardi del marchese Curtò grandemente mi irritava, ma, pur nulla lasciando trapelare, urbanamente rispondevo che il palco ancora mi era indispensabile per il prosieguo delle indagini. Al che il Maresciallo mettevasi a sghignazzare e allontanavasi senza salutare nessuno.

Faccio altresì presente che, avendo intravisto il portone della filiale della Banca di Trinacria mezzo aperto, vi entravo e vi rinvenivo il Cassiere principale, ragioniere Tortorici Vitantonio, il quale informavami che nell'officio del Direttore trovavasi l'Ispettore Generale della Banca per le opportune verifiche.

Avendo il sottoscritto domandato al Tortorici di poter assistere alle operazioni di verifica e controllo, egli, stringendosi nelle spalle, m'invitava a parlarne con l'Ispettore Generale. Il quale fermamente refutavasi alle mie reiterate richieste asserendo che per far ciò io dovevo presentargli regolare autorizzazione rilasciata dal Regio Tribunale di Montelusa.

Tanto per conoscenza.

Il Delegato di P.S.
(Ernesto Bellavia)

Comando Provinciale
dei Reali Carabinieri
Montelusa

Il Capitano Comandante

Al Maresciallo
Paolo Giummàro
Stazione RR CC
Vigàta

Montelusa, li 24 marzo 1890

Signor Maresciallo,
mi compiaccio informarla che alle prime ore
del mattino si è presentato a questo Comando
il Capitano del Regio Esercito Mangiafico Arnaldo il quale ha sporto denunzia di sparizione del cognato ragioniere Patò Antonio.

Avendogli fatto presente che la sua sorella
e consorte del Patò aveva molto probabilmente
sporto medesima denunzia presso la Delegazione di P.S. di Vigàta, oltretutto competente
per territorio, egli mi rispondeva che da militare nutriva maggiore fiducia in militari
quali i Reali Carabinieri.

Pertanto anche lei, a far data da oggi, potrà indagare sulla scomparsa.

Il Capitano Comandante
(Arturo Carlo Bosisio)

62

Al Signor Questore di
Montelusa

                    Vigàta, li 24 marzo 1890

Num. Prot. 214
Oggetto: Indagini su scomparsa

   A malgrado che oggi si trattasse di festività di Pasquetta, stamattina presto ho dato
ordine al mastrodascia di principiare lo
smontamento del palcoscenico tanto più che le
numerose ispezioni in loco con l'ausilio so-
lerte de' miei uomini non hanno sortito risultato alcuno.
   Diposcia, sul fare della sera, io stesso e
altre Guardie della Delegazione, ci siamo op-
portunamente allocati nelle vie che dalla
campagna menano in città. Atteso il ritorno
de' gitanti, li abbiamo interrogati se putacaso si erano imbattuti nel vagante ragioniere Patò.
   Non ebbimo che risposte negative.
   Naturalmente siamo stati impossibilitati a
interrogar tutti quelli che eran fuoriusciti
per farsi la scampagnata (oggi la giornata è
stata piena di sole), ma siamo certi che, sia
per la commozione che la scomparsa ha susci-
tato ne' vigatesi, sia per la consistenza

delle ricchezze della signora Mangiafico in Patò, che promette una ricca mancia a chi le darà nuove del marito, se qualcuno avesse scorto il ragioniere vagante a quest'ora ne avrebbe già dato notizia.

Tanto per sua conoscenza.

Il Delegato di P.S.
(Ernesto Bellavia)

Ernesto Bellavia

─── Regia Questura ───
─── di Montelusa ───

Il Questore

Al Comandante dei Reali Carabinieri
Bosisio Capitano Carlo Arturo
Città

Montelusa, li 25 marzo 1890

Signor Capitano,
vengo a informarLa di un curioso accadimento
che temo possa resultare increscioso e foriero di turbative non certo necessarie.

Stamattina a me presentavasi il mio sotto-
posto Delegato di Vigàta per una giustificata
lagnanza.

Avvertivami cioè che ieri sera il Maresciallo dei Reali Carabinieri della Stazione
di Vigàta erasi recato in Delegazione in
quanto sosteneva essere pur lui incaricato
dell'inchiesta sulla scomparsa del ragioniere
Patò e pretendeva prender visione degli atti
finora compiuti. E, a riprova, esibiva autorizzazione da Lei firmata.

Vorrei rammentarLe, se per caso ne abbia
patito dimenticanza, esser collaudata prassi
che di ogni indagine è solo conduttore colui
che per primo riceve denunzia di alcunché
possa interessare la Legge e la Difesa dei
Cittadini.

A confrontar le date, chiaramente si evince

che la prima denunzia di scomparsa è stata
esposta al mio Delegato dalla consorte dello
sparito, mentre quella del cognato Capitano
risale al posteriore. È palmare, in consimil
caso, che Lei non poteva esser collatore nei
riguardi del suo Maresciallo, tanto più che
il mio Delegato perscruta con estrema cura e
non può essergli addebitata menda di sorta.
Ove invece si dovesse ritenere che il Delegato e il Maresciallo debbano ugualmente svolgere indagini in collaborazione, credo questa
opinione sommamente errata: a causa della
stessa natura competitiva degli uomini, le
resultanze non verrebbero mai a collimare, ma
a collidere.

Il Questore di Montelusa
(Liborio Bonafede)

Comando Provinciale
dei Reali Carabinieri
Montelusa

Il Capitano Comandante

Al Signor Questore
Liborio Bonafede
Città

Vigàta, li 25 marzo 1890

Signore!
Rispondo immantinenti per rintuzzare la Sua
lettera che parmi di molto offensiva. Trovo
oltraggiosa la sua oltranza.
Ella non può assolutamente permettersi di
ricordare a me qual sia la prassi collaudata.
E se cotale prassi ho ritenuto di non seguire, questo vorrà pur significare che ho avuto
le mie buone ragioni.
In quanto alla sua personale opinione filo-
sofica, e cioè che una collaborazione possibile tra la Benemerita e la Pubblica Sicurezza debba inevitabilmente risolversi in una
collisione data la particolarità della natura
umana, le notifico fermamente che tale natura
non appartiene ai Militari dell'Arma i quali,
non solamente usano gittare il cuore oltre
l'ostacolo, ma puranco in ogni momento e in

ogni dove sanno qual sia la via maestra dell'Onore, della Lealtà, del Sacrifizio.
Non la saluto, signore.
Le dico solo che resto a sua disposizione.

Il Capitano Comandante
dei Reali Carabinieri
(Arturo Carlo Bosisio)

Regio Ministero dell'Interno

Il Sottosegretario di Stato

A Sua Eccellenza
Tirirò Gran Uff. Francesco
Prefetto di
Montelusa

PRESSANTE!

Roma, li 25 marzo 1890

Eccellenza chiarissima,
petente a lei vengo, dismessa qualsivoglia infula, perché voglia accivire a molcere l'ansia di un vegliardo,
qual io sono, per l'improvvisa e improvvida sparizione del dilettissimo mio, infra tutti il più adeso, nepote
Antonio Patò.
    Giunsemi l'altrieri la feral novella qual aeròlito dal
cielo e impietrai, attonito.
    Son qui, Eccellenza chiarissima, a supplicarla di
bene oprare acciochè la caligine che pare avvolgere il
mio diletto rapida si dissolva disperdendo le ansie, le

paure, i tremori di coloro, e io son d'essi, che l'amano
e lo stimano.

Ben so che il cammino Suo è acclive, ma pregola
di porre in essere tutti i mezzi in Suo possesso onde
far sì che l'inchiesta muova sotto il duplice segno
della speditezza e della oculatezza.

Lei appieno conosce come esistano ne' paesi nostri individui callidi e senza scrupoli, politicanti da
niun altro sospinti che da insensata smania di potere,
alla quale son pronti a tutto sacrificar senza rispetto
per niuno, i quali quai neri corvi son lesti a lacerar le
carni e a cibarsi dell'altrui dolore, vuoi per pura mal-
vagità d'anima vuoi per trarne politico profitto.

La supplico quindi di pervenire a un risultato non
afano, che non dia adito a sànie quali maldicenze, dicerie, avventate supposizioni.

Sono, Eccellenza, nelle Sue mani.

Il Sottosegretario di Stato
(Pecoraro Senatore Gran. Uff. Artidoro)

Post scriptum:
L'altra sera, con Sua Eccellenza il Signor Mini-
stro, abbiamo avuto modo di parlare assai bene di
Lei. Ad majora!

70

La Gazzetta dell'Isola

Direttore: Gesualdo Barreca   *Palermo, 25 marzo 1890*

Echi della scomparsa del ragioniere Patò

Abbiamo già dato notizia della misteriosa scomparsa del ragioniere Antonio che, nel "Mortorio" rappresentato a Vigàta lo scorso Venerdì Santo, interpetrava la parte di Giuda Iscariota, il quale, appena terminata l'ultima invocazione al Cielo perché la terra lo inghiottisse, spariva dentro a una botola appositamente all'uopo conciata e non ricompariva mai più.

Naturalmente è stato subito un intrecciarsi di voci, dicerie, supposizioni non tutte preoccupate o benevole.

Ma oramai è convinzione quasi generale che il povero ragioniere Patò, per ragioni che sfuggono agli inquirenti (i quali, almeno sino a questo momento, non hanno certamente brillato), sia stato assassinato.

Un lettore ci invia questo foglietto che un cantastorie ambulante ieri distribuiva a pagamento ai passanti di Montelusa:

Ascutati stu fattu capitatu
Mentr'era lu Martoriu ricitatu
Ni la chiazza cchiù granni di Vigàta.
Davanti a 'na gran fuddra stirminata

Stava Gisù 'nchiuvatu nni la Cruci
E Giuda, 'u credituri, facìa vuci
Di sprufunnari 'n funnu di lu 'mfernu
E di patìri nni lu focu eternu.

La terra a li so' pedi si raprì
E Giuda tuttu 'nzemmula spirì.

71

Bravu l'atturi ca Giuda impirsonò
E a gran vuci la genti lu chiamò.

Ma l'atturi (di nomu fa Patò)
Supra lu parcu nun si prisintò.
Chiama ca chiama, cerca ca ti cerca,
Mìsiru suttasupra Arca e Amerca,

Di chistu tali, Antoniu Patò,
Mancu l'ùmmira cchiù si truvò.
"Fu Diu sdignatu ca lu vosi puniri",
Ci fu quarcunu ca si misi a diri.

"L'omu nun è acqua ca sbapùra",
Ci fici 'n'antru, "si si cerca ancura,
La crozza armenu s'havi a truvari
Macari dintra a 'n puzzu d'acqui amari".

Ne diamo la traduzione.
Ascoltate questo fatto ca-pitato mentre il "Martorio" (nota: il cantastorie lo chia-ma così perché in questo modo viene popolarmente pronunciato) veniva recitato sulla piazza più grande di Vigàta davanti a una folla sterminata. Stava Gesù in-chiodato sulla Croce e Giuda, il traditore, gridava di voler sprofondare in fondo all'inferno e di voler patire nel fuoco eterno. La terra ai suoi piedi si aprì e Giuda di subito scomparve.

Bravo l'attore che imper-sonò Giuda e la gente a gran voce lo chiamò. Ma l'attore, che di nome fa Patò, non si presentò sul palcoscenico. Chiama e chiama, cerca e cerca, mi-sero sottosopra l'Arca e l'A-merca (nota: espressione popolare che significa "ogni cosa"), ma di questo tale, Antonio Patò, non si trovò nemmeno l'ombra. "È stato lo sdegno di Dio che ha voluto punirlo" qualcu-no cominciò a sostenere. "L'uomo non è acqua che evapora" disse un altro. "Se si cerca ancora, il cranio almeno si finirà col trovare sia pure dentro a un pozzo di acque amare".

A maggiormente indicare la curiosità e l'interesse che questa scomparsa ha sollevato non solo tra le laboriose popolazioni locali, un altro nostro lettore ci ha inviato la trascrizione di quest'anonima scritta apparsa su di un muro di Vigàta.

Giuda murì
Patò spirì
Spirì Patò
Cu l'ammazzò?
Quantu patì?
E po': pirchì
Patò spirò?

In questi rozzi e ingenui versi c'è la domanda che tutta la popolazione di Vigàta si pone. E non può altro fare, dato che pare che un dissidio insorto tra l'Arma dei Reali Carabinieri e la Pubblica Sicurezza abbia del tutto paralizzato le indagini che già procedevano a rilento.

REGIA PREFETTURA
DI MONTELUSA

IL PREFETTO

Al Signor Questore   Al Capitano
di Montelusa   Comandante RR CC
                        Montelusa

Riservata personale

Montelusa, li 26 marzo 1890

Signor Questore, Signor Capitano,
mi pregio inviar Loro in copia una lettera
riservata personale per comunicare Loro di
avere ricevuto, in data di oggi, una missiva
di S.E. il Sottosegretario al Ministero del-
l'Interno, Pecoraro Senatore Grande Ufficiale
Artidoro, il quale, esprimendomi tutta la sua
più che giusta ansia per la sparizione del
suo diletto nipote Patò ragioniere Antonio,
mi esorta a una indagine che sia, son parole
di Sua Eccellenza, "sotto il duplice segno
della speditezza e della oculatezza".
Dipoiché mi son pervenute voci, che mi au-
guro esser e restar solo tali, circa un dissidio tra Voi intervenuto, Vi invito a placa-
re ogni contrasto al fine di pervenire a una
pronta soluzione della misteriosa scomparsa.
Non posso che auspicare concordia e armo-
nia, diligente collaborazione e fraternità

d'animo, tutte cose che son arra di fecondi risultati.

In ogni caso, sento la pressanza d'avvertirVi che, ove malauguratamente l'indagine dovesse terminare con un nulla di fatto, non sarò di certo io a dovere indossare il sambenito per ordine e volontà di S.E. Pecoraro.

Auguri di buono e accorto lavoro.

Vogliate usare la cortesia di tenermi costantemente informato.

Il Prefetto di Montelusa
(Francesco Tirirò)

Comando
Provinciale
dei Reali
Carabinieri
Montelusa

Al Maresciallo
Giummàro Paolo

   Domattina a ore 8
precise mettasi a rap-
porto presso questo
Comando per comunica-
zioni urgenti.

         Per il Capitano
         Comandante
         Ten. Loffredo

         Loffredo

REGIA
QUESTURA
MONTELUSA

Al Delegato di P.S.
Vigàta

Attendola infallan-
temente domani mattina
alle ore 10 per comu-
nicazioni urgenti che
la riguardano.

Per il Questore
di Montelusa

Antonio Cavassa

2

INDAGINI E IPOTESI

Stazione
dei Reali Carabinieri
di Vigàta

Al Capitano   Al Signor
Comandante RR CC   Questore
Montelusa   Montelusa

Vigàta, li 27 marzo 1890

Oggetto: Indagini su scomparsa
Num. Prot. 321

Desideriamo immantinenti informarvi su
quanto segue.

Questa mattina che ancora manco erano le
otto, presentavasi nella Delegazione di Pubblica Sicurezza di Vigàta l'Ispettore Generale della Banca di Trinacria, Cannarella commendatore Marcello, il quale ci consegnava
una lettera anonima rinvenuta nel secondo
cassetto a sinistra della scrivania dell'officio del Direttore della filiale, ragioniere
Patò Antonio.

Alla nostra domanda se la lettera anonima
era nascosta o in evidenza, egli rispondeva
quanto segue:

"In evidenza."

Alla nostra domanda se ci fosse stata una

qualsivoglia intestazione o indirizzo, egli rispondeva quanto segue.

"Nessuna intestazione, nessun indirizzo."

Alla nostra domanda se avesse cercato la mancante busta contenente la lettera anonima, egli rispondeva quanto segue.

"L'ho cercata, ma non l'ho trovata."

Alla nostra domanda se avesse riscontrato in ordine i conti della filiale o se mancasse qualche somma di denaro, egli rispondeva quanto segue.

"In ordine perfetto, non faglia nessuna somma."

La lettera anonima, seppur mancante di indirizzo, appare senz'altro indirizzata al Patò in quanto ci sta scritto, con lettere ritagliate da un giornale e malamente incollate, quanto segue.

TU CHE FAI LA PARTE DI GIUDA SEI PEGGIO DI LUI

Dal che si evince che essendo il Patò colui che nel "Mortorio" fa la parte di Giuda, l'anonima non può che essere a lui rivolta.

La quale anonima, come abbiamo notato, sul foglio presenta le caratteristiche ripiegature atte a farlo entrare dentro a una busta, ma questo non significa che la lettera sia stata inviata tramite servizio postale.

Opiniamo che la suddetta anonima sia stata ricevuta dal ragioniere non nella di lui abitazione abbensì presso la filiale della Banca, indove ha voluto conservarla contrariamente all'abituale. E in effetti la sgradevolezza dell'anonima spinge chi la riceve a distruggerla immediatamente dopo la lettura.

Perché allora il Patò l'ha accuratamente
conservata?
Dopo ponderata discussione, siamo pervenuti
a quanto segue.
— Il Patò non ha trovato il tempo per la
sua distruzione datosi ch'era pigliato dalle
prove e per farlo avrebbe dovuto aspettare
che l'officio fosse sgombro di persone. Dal
che magari si evincerebbe che l'anonima gli è
stata recapitata di recente;
— Il Patò voleva esibirla a qualcuno.
Si nota infine che l'anonima di per se
stessa non minaccia morte, dice solamente che
Patò è Giuda come la parte che fa.
Tanto per conoscenza.

Il Maresciallo dei RR CC   Il Delegato di P.S.
    (Paolo Giummàro)   (Ernesto Bellavia)

L'ARALDO di MONTELUSA

Gerente: Pasquale Mangiaforte   *Giovedì, 27 marzo 1890*

Un ignobile scritto

Un imo, insostenibile disgusto ci attagliò l'altrieri nel leggere su di un foglio panormita, che spacciasi per giornale d'informazione mentre in realtà trattasi di un foglio dagli equivoci intenti, un ignobile scritto inerente la sparizione del ragioniere Antonio Patò avvenuta, come tutti oramai ben sanno, durante la recita del "Mortorio" a Vigàta.

Questo cosiddetto giornale non è nuovo a maramaldesche imprese, ma ora ci pare che stia di gran lunga oltrepassando il segno.

L'anonimo (e non poteva essere altrimenti!) articolista sostiene, con l'ausilio di una miserevole poesia attribuita a un fantomatico cantastorie e di un'anonima (similis cum similibus!) scritta murale, essere convinzione de' vigatesi che il ragioniere Patò sia stato assassinato facendone scomparire il corpo.

Questo è falso!

I vigatesi non hanno mai perduto la speranza che il ragioniere, stimato da tutta la popolazione, venga ritrovato sano e salvo mercé l'opra indefessa di Carabinieri e Polizia che d'armonioso concento muovonsi, a malgrado che l'anonimo articolista insinui addirittura di un aperto dissidio infra gli inquirenti.

Ognuno è liberissimo di pensarla come vuole, ma se noi non esitiam a definire quello scritto ignobile è per il tono di sarcasmo e di dispregio all'uopo adoperato.

Esso è intollerabile perché tutti conoscono l'intemerata onestà, il pio sentire, l'adamantina condotta del ragioniere vuoi come uomo vuoi come Direttore della filiale vigatese della Banca di Trinacria.

Quando apparirà su quell'infame foglio la fantasiosa notizia che il ragioniere Patò se ne sia scappato con la cassa della Banca?

Domani, venerdì, farà una settimana che il ragioniere è scomparso. Noi formuliamo i nostri fervidi voti che tutto si risolva per il meglio alla Famiglia e al Senatore Grande Ufficiale Artidoro Pecoraro, Sottosegretario al Ministero dell'Interno, del quale il Patò è nipote amatissimo. (G.P.)

REGIA QUESTURA
DI MONTELUSA

IL QUESTORE

Al Delegato di P.S.
Ernesto Bellavia
Delegazione di
Vigàta

Pressante! Personale!

D A   N O N   P R O T O C O L L A R E

Montelusa, li 27 marzo 1890

Ieri, per puro caso, mi è caduta sotto gli occhi una sua domanda di autorizzazione per una diffida avverso tale Ciaramiddaro Gerlando che lei non ha esitato a dipingere quale persona "violenta e prepotente".

E con questo? Se diffidar dovessimo tutte le persone violente e prepotenti che solo in questa Provincia trovansi, avremmo bisogno di richiedere al Ministero il raddoppio almeno della carta che semestralmente ci invia.

Lasci perdere. Però alla prima vera mancanza lo sbatta dentro.

Gente come il Ciaramiddaro non merita la cortesia di un preavviso quale, in un certo senso, può considerarsi una diffida.

È d'altro che desidero parlarle.

Da questa sua domanda di autorizzazione risalente al dì 20 del corrente mese, ho appreso con una tal qual maraviglia che il Ciaramidda-

86

ro, proprio il giorno avanti la scomparsa del ragioniere Patò, aveva secolui altercato sì violentemente che era stato necessario richiedere il suo intervento.

Lei aggiunge che il Ciaramiddaro ha profferito continue minacce di morte avverso il Direttore, colpevole solo di esigere dal Ciaramiddaro la restituzione di un prestito concessogli dalla filiale di Vigàta della Banca di Trinacria.

Non capisco allora le sue oscitanze e sono a domandarle: perché il Ciaramiddaro non è stato inquisito formalmente per la scomparsa del Patò?

Guardi che non si tratta di una indagine qualsiasi: tutti noi, lei compreso, sappiamo di quali parentele goda lo sparito.

Inoltre le domando a quattrocchi: e se tutto questo venisse risaputo dal Maresciallo dei Reali Carabinieri che secolei collabora e costui segnalasse codesta sua inspiegabile trascuranza al suo Superiore, uomo notoriamente dotato di paraocchi come il cavallo che monta, noi che meschina figura ci faremmo?

Torno a ripeterle: la scomparsa del Patò non è affare che si possa prendere sotto gamba.

Mi consenta un consiglio: perché non arresta senza por tempo in mezzo il Ciaramiddaro?

Se non altro, presso il Senatore Pecoraro avremmo segnato un punto a nostro favore.

Il Questore di Montelusa
(Liborio Bonafede)

Al Signor   Al Capitano
Questore   Comandante RR CC
Montelusa   Montelusa

                   Vigàta, lì 27 marzo 1890

Num. Prot. 215
Oggetto: Indagini su scomparsa

Trasmettiamo in alligato il verbale dell'interrogatorio di Ciaramiddaro Gerlando, avvenuto oggi in Delegazione alle ore sei del dopopranzo.

Trasmettiamo magari in alligato un biglietto di convocazione pervenuto al Ciaramiddaro da parte del ragioniere Patò nella sua qualità di Direttore della filiale della Banca di Trinacria.

Trasmettiamo altresì le nostre considerazioni sull'avvenuto interrogatorio.

Ci siamo risolti alla convocazione del Ciaramiddaro in base a quanto segue.

— Il Ciaramiddaro aveva profferito minacce di morte avverso il Patò per quistioni bancarie;
— La scoperta della lettera anonima che fortemente indiziava il Ciaramiddaro in quanto autore della stessa medesima;
— L'essere il Ciaramiddaro riuscito a sfuggi-

re, sia pure per minuti dieci, alla sorveglianza a vista nella quale era tenuto dalla Guardia Ferruzza Giuseppe all'uopo comandato, nel corso della rappresentazione del "Mortorio".
Con osservanza.

Il Maresciallo dei RR CC   Il Delegato di P.S.
(Paolo Giummàro)   (Ernesto Bellavia)

Compiegansi numero 3 alligati

Alligato 1

Verbale d'interrogatorio
di CIARAMIDDARO GERLANDO

A domanda risponde

TU SEI CIARAMIDDARO GERLANDO FU ANGELO E DI
SCATASCIA CONCETTA NATO A VIGÀTA IL 3 LUGLIO
1850 E QUIVI ABITANTE IN VICOLO DEI MALTESI?

Certu ca sugnu iu.

QUALI SONO I TUOI RAPPORTI COL RAGIONIERE
PATÒ?

Rapporti? Ca quali rapporti?

NEGHI DI AVERE AVUTO RAPPORTI COL RAGIONIE-
RE?

Sissignuri, lu negu. Fantasia è.

MA COME? SE IO STESSO SONO DOVUTO INTERVE-
NIRE PER SEDARE LA RISSA TRA TE E IL RAGIO-
NIERE NELL'OFFICIO DELLA BANCA!

Ah, chiddru? E vossia chisti mi li chiama
rapporti? Mi scusassero, ma iu dicu ca sunnu
rapporti chiddri ca pozzu aviri cu 'n amicu,
'na fimmina...

ALLORA COL PATÒ DI COSA SI TRATTAVA?

Si trattava di canuscenza, di simprici canuscenza. Bongiorno e bonasira.

È VERO CHE DALLA BANCA DI TRINACRIA HAI RI-
CEVUTO UN PRESTITO DI LIRE 280?

Sissignuri, veru è. E nun era lu primu.

QUANTE VOLTE HAI OTTENUTO PRESTITI DA QUE-
STA BANCA?

Tri voti. Sempri regularmenti arrestituiti
dintra lu tempu di la scadenza e sempri pa-
gannu finu all'urtimu centesimu d'interessi!
Una vota macari ci lu restituii quattru jorna
avanti la scadenza. Si nun mi crìdinu, ci lu
ponnu spiare a u casciere principali, ca è lu
raggiuneri Tortorici.

SE SEI SEMPRE STATO COSÌ PUNTUALE E PRECI-
SO, COME MAI QUESTA VOLTA IL RAGIONIERE PATÒ
VOLEVA CHE TU RESTITUISSI IL PRESTITO PRIMA
DELLA SCADENZA? NON SI FIDAVA PIÙ? COSA È
SUCCESSO?

Chiddru ca è successu mi lu spiegassiru
lorsignori.

CIARAMIDDARO, CERCA DI NON FARE LO SPIRITO-
SO CON NOI. NON SEI IN UNA BELLA SITUAZIONE.
NEL TUO STESSO INTERESSE, RISPONDI ALLE NO-
STRE DOMANDE. CHE È SUCCESSO?

Allura chista storia è nicissariu ca ci la
cuntu di lu principiu, va beni? Facitimilla
cuntari di filatu pi tanticchia, senza farimi
dumanni, vasannò mi cunfunnu. Donchi, jornu
diciottu passatu, ca mi pari ca era di marti-
dia, di matina ca putivanu essiri li novi,
m'apprisintavu a la Banca, trasii nell'officio del raggiuneri Patò e ci cunsignai manu
cu manu li 280 liri ca m'avia 'mpristatu. Allura...

FERMO QUA! FERMO QUA!

Chi fu? V'avìa prigatu di nun farimi 'ntir-
ruzioni vasannò mi cunfunnu!

91

TU STAI DICENDOCI DI AVERE RESTITUITO IL
PRESTITO GIÀ DAL GIORNO 18?

Sissignuri, da jornu diciottu.

E COME MAI ALLORA IL RAGIONIERE SOSTENNE
CON ME CHE TI ERI ARRAGGIATO PERCHÉ TI ERA
STATA DOMANDATA LA RESTITUZIONE DEL PRESTITO?

Boh!

EH, NO! C'ERI MAGARI TU NELL'OFFICIO QUANDO
IL RAGIONIERE DISSE A ME PERSONALMENTE CHE LA
RAGIONE DEL TUO SCATTO DI NERVI ERA QUELLA E
TE LA RIPETO: VOLEVA INDIETRO IL PRESTITO CHE
TI AVEVA FATTO. PERCHÉ NON MI HAI DETTO COME
STAVANO VERAMENTE LE COSE IN QUEL MOMENTO?

Taliassiru, nun duviti fari autra cosa ca
spiari a u raggiuneri Tortorici: iddru con-
fermerà ca lu prestitu iu ci lu restituii.
Vossia m'addimanna pirchì iu allura, quannu
stavamu ni l'officio, nun ci dissi nenti e
minni stetti mutu. Vi lu spiegu e mi duviti
cridiri. Mi sintii pigliatu de' turchi. Ma in
primisi in primisi mi scantai.

DI COSA TI SEI SPAVENTATO?

Di chiddru ca mi stava capitannu. C'era
qualichi cosa che nun mi quatrava, nun mi
turnava. Mi fici pirsuaso ca quel grannissimu
curnutu di raggiuneri...

MODERA I TERMINI!

... ca quel curnutu di raggiuneri...

TI HO DETTO DI MODERARE I TERMINI!

E nun li moderai? Il grannissimu ci lo
livai, ma u curnutu ci resta!

92

TI HO DETTO...

Va beni, va beni. Mi fici pirsuasu ca u raggiuneri mi stava priparando uno sfunnapedi, un trainello, mi stava tirando dintra a 'na minzogna.

A CHE SCOPO? CHE INTERESSE POTEVA AVERE?

L'intiresse nun lu sacciu. Ma la cosa, ci lu dissi, nun mi quatrava.

SPIEGATI MEGLIO.

Donchi, iu, ci l'arripetu, la matina di lu diciottu a lu raggiuneri ci purtai i sordi. E iddru m'arringraziò e mi dissi di darli a la cassa, a u raggiuneri Tortorici. U jornu appressu, ca veni a diri la matina du diciannovi, mircolidia, arriva un fatturinu di la Banca e mi cunsigna un bigliettu. C'era la firma di quel grannissimo... domando pirdonanzia, c'era la firma di lu raggiuneri Patò. C'era scrittu ca vuliva narrè i sordi ca m'avia pristatu. E mi faciva l'invitu di passari di la Banca la matina di lu jornu appressu. Iu di subitu pinsai ca c'era sbagliu, ca lu bigliettu era stato scrivutu prima ca iu ci avissi arrestituitu i sordi. Ma iu la matina appressu a la Banca mi ci apprisintai lu stessu, friscu e sirenu, accussì, tantu pi acchiariri l'anquivocu e farimi quattro risati cu stu grannissimu... domando pirdonanzia... cu u raggiuneri Patò. Appena ca fui trasutu nell'officio, mi dissi di chiudiri la porta. Iu lu fici e allura lui raprì un cascione di la scrivania e tirò fora una littra spiannomi si l'avissi scrivuta iu...

FERMO QUA!

Arrè? Ancora? Bih, chi camurria!

LA LETTERA È QUESTA CHE TI STO MOSTRANDO?

Sissignuri, propiu chista. Scrivuta cu i littri do jurnali ritagliati e incuddrati.

VAI AVANTI.

Mi la pruì, dicennumi ca la duvivu leggiri. Iu allura mi misi a leggirla, ma cu granni difficortà pirchì mi veni difficili assà di leggiri e di scriviri. 'Nzumma, comu Diu vosi, la liggiu. "Sei statu tu?" mi spiò u raggiuneri.

E TU CHE GLI DICESTI?

Che ci dovivo diri? Ca nun ero statu iu.

E IL RAGIONIERE?

Parsi nisciutu pazzu! Si susì dalla seggia, desi 'na gran botta supra lu tavulinu, si mise a fare voci ca iu era un misirabili, ca lui mi faciva la limosina di 'mpristarimi i sordi quannu ca ne avevu di bisognu e doppu pi tutti ringraziu mi mittiva a scrivicci littri nònime...

E TU CHE HAI FATTO?

Iu era completamenti strammatu, iddru parlava, iu lu sintia e nun ci capiva nenti di nenti. Doppu tanticchia m'arripigliai e accuminzai a pinzari ca u raggiuneri, si facia tuttu stu tiatru, capaci ca vuliva mittirimi in mezzu...

E PERCHÉ IL RAGIONIERE TI VOLEVA METTERE DI MEZZO?

Nun lu sacciu.

E IN CHE COSA TI VOLEVA METTERE DI MEZZO?

Nun lu sacciu.

PROPRIO PROPRIO?

Propiu propiu.

CHE È SUCCESSO DOPO?

Doppu? Ni vulemu parlari? Cangiamu discursu ch'è megliu.

CIARAMIDDÀ, QUA IL DISCORSO SI CANGIA SOLO QUANDO LO DICIAMO NOI, VA BENE? ALLORA, PROSEGUI. CHE CAPITÒ DOPO?

Che capitò? Capitò che lu raggiuneri, russu ca pariva ci dovisse venire un sintòmo da un mumentu all'autru, mi vinni vicinu e in un vìdiri e svìdiri m'ammollò un tirribili pagnittuni, come si dice, uno sghiaffo in faccia, accussì forti ca gli occhi mi ficiru pupi pupi e tutti li cosi mi si misiru a firriari intunnu intunnu... Un pagnittuni a mia? A mia? Quarcheduno si era arrisicato a dare un pagnittuni a mia? A Gegè Ciaramiddaro un pagnittuni? Mai nisciunu in tuttu lu munnu interu avia mai avutu u curaggiu di isare una manu davanti a mia, figuramunni un pagnittuni! A Gegè Ciaramiddaro!

VOGLIAMO FARE MATTINA?? NON SIAMO ALL'OPRA DEI PUPI, VAI AVANTI.

Mi vinni un insurto di nervi, mi vinni... persi la vista di la raggiuni e fici chiddru ca fici e ca lu Diligatu sapi. Quannu arrivò vossia, signuri e Diligatu, allura quel grannissimo... domando pirdonanzia, allura u rag-

giuneri si misi a cuntaricci la farfantarìa,
comu si dici, la minzogna di lu debbitu ca iu
nun vuliva pagari. E chista è la pura e santa
virità.

DOV'È IL BIGLIETTO CHE IL PATÒ TI AVREBBE
INVIATO DOMANDANDOTI LA RESTITUZIONE DEI
SOLDI? L'HAI BUTTATO, VERO?

Nonsi, nun lu ghittai. Mi lu tenni. Ci
l'haio qua, in sacchetta. Ecculu. Ci lu cun-
signu.

MI SPIEGHI PERCHÉ SECONDO TE IL RAGIONIERE
ABBIA FATTO QUELLO CHE HA FATTO?

O era viramenti nisciutu pazzu o, ci lu ri-
petu ancora, vuliva mittirimi 'n mezzu.

MA IN MEZZO A CHE?

Nun lu sacciu.

Letto, firmato e sottoscritto in Vigàta,
li 27 marzo 1890.

Signor Ciaramiddaro,
trovandosi questa Filiale della Banca di Trinacria nella
necessità di sanare tutte le sofferenze in tempi corti, la
invito a restituirci la somma di Lit. 280 a suo tempo
prestatale.
Voglia domani mattina passare dal mio officio.

Il Direttore della Filiale
(Rag. Antonio Patò)

Ci permettiamo aggiungere alcune precisazioni e alcune deduzioni appresso l'interrogatorio del nominato Ciaramiddaro Gerlando. Già in data 20 c.m., dopo il litigio avvenuto tra il Ciaramiddaro e il Patò nell'officio di quest'ultimo, il Delegato di P.S. aveva dato incarico alla Guardia Ferruzza Giuseppe di seguire sempre il Ciaramiddaro sottoponendolo ad assidua vigilanza.

Cosa fatta coscienziosamente dal Ferruzza, il quale ha ribadito d'aver sempre tenuto a vista il soggetto. Soprattutto durante la rappresentazione. Ad un certo momento un bambino che correva in mezzo alla gente inciampicò sui piedi del Ferruzza e cadde a terra facendosi male e scoppiando a piangere. La Guardia Ferruzza si chinava per rialzare il bambino, lo calmava e poteva riconsegnarlo ai suoi genitori.

Tornato al posto d'osservazione, non iscorgeva più il Ciaramiddaro. Preoccupato, cominciava a cercarlo torno torno quando lo vedeva uscire dall'osteria viciniore che si aggiustava i pantaloni. Quindi ripigliava il suo posto. Tutto ciò una mezzorata prima che il ragioniere Patò sprofondasse nella botola.

Inoltre la lettera anonima non può essere stata scritta dal Ciaramiddaro in quanto che trattasi di individuo quasi analfabeta, mentre che di contrario l'anonima appare scritta, fosse pure con caratteri ricavati dal ritaglio di un giornale, da qualcuno che l'italiano lo sa adoprare.

Trattenuto in Delegazione il Ciaramiddaro,

ci siamo recati nella filiale della Banca di Trinacria indove abbiamo domandato al Cassiere principale, ora ff di Direttore, Tortorici ragionier Vitantonio, conferma di quanto asserito dal Ciaramiddaro nel suo di lui interrogatorio.

Il ragioniere Tortorici, premettendo di non essere a conoscenza dei motivi che fecero nascere il litigio tra il Patò e il Ciaramiddaro, ha in pieno confermato l'avvenuta restituzione della somma di lire 280 da parte di quest'ultimo in data 18 del mese corrente.

Ha però affermato di non essere per niente al corrente del biglietto che il Patò ha inviato al Ciaramiddaro il giorno appresso.

Il fattorino della filiale, Mamò Giovanni, ci ha detto che il giorno 19 mattina, che la filiale erasi appena aperta, il ragioniere Patò lo chiamò nel suo officio e gli diede un biglietto dicendogli di andarlo a consegnare al Ciaramiddaro. Cosa che il Mamò fece immediatamente. Altro non sa.

Per tutte queste ragioni abbiamo dovuto rilasciare il Ciaramiddaro.

A questo punto il comportamento dello sparito Patò nel riguardo del Ciaramiddaro ci pare alquanto oscuro.

Facciamo rispettosamente notare alle Signorie Vostre Ill.me che il biglietto inviato al Ciaramiddaro presenta alcune cose strane.

Esso non è scritto su carta intestata della Banca di Trinacria, ma su di un mezzo foglio qualsiasi.

Esso non reca nessuna data.

Si potrebbe magari pensare ad un biglietto che risale a tempo prima e che il Ciaramidda-

ro riadopera in questa occasione. La testimonianza del Mamò contrasta però con questo
pensiero.

Abbiamo magari voluto controllare l'auten-
ticità della firma sul biglietto: il ragioniere Tortorici l'ha riconosciuta come firma
autentica.

L'unica spiegazione possibile a questo
agire è che il ricevimento dell'anonima abbia
sensibilmente alterato il sistema nervoso del
ragioniere.

Domani mattina c'informeremo del suo stato
di salute con il di lui medico curante.

Con osservanza.

        f.to   f.to
     Giummàro   Bellavia

La Gazzetta dell'Isola

Direttore: Gesualdo Barreca   Palermo, 28 marzo 1890

(Riceviamo e ben volentieri pubblichiamo questa lettera dell'Onorevole Gaetano Rizzopinna, eletto Deputato nella Circoscrizione di Montelusa.)

Sul caso Patò

Illustre Direttore, molti sono i preopinanti i quali sulla scomparsa del ragioniere Antonio Patò hanno le supposizioni loro esternato in varia guisa.

Io, pur non eradiando al proposito opinamento alcuno, mi prendo l'ardire di esercitare una elucubrazione forse atta a illuminar le menti delle Autorità che sulla scomparsa il meglio loro impegnano.

E mi premuro di preludere che il concetto mio non viene dall'eletto, e con strabocchevole annuenza, Onorevole Gaetano Rizzopinna del Partito che a questo Governo si oppone, ma dal semplice e onorato cittadino Gaetano Rizzopinna.

È ben nota, in Montelusa e sua Provincia, l'arrendevole costumanza di una Banca (della quale non faccio il nome) verso un potente politico montelusano che di tale Banca, della quale si dice possieda il 51%, servesi come della tasca propria, affarato com'è a elargire favori a dritta e a manca, sempre coll'intento d'ottener un consentaneo popolar consenso.

E così vistoso, tanto ragguardevole è stato lo scialo, lo sperpero, che l'anno passato si cominciò a strepere di una imminente chiusura degli sportelli, sicché la Banca fu sottoposta ad accurata disamina da parte dell'Ispettorato della Banca Nazionale che a tutte presiede.

Una popolar voce favoleggia che, mentre l'Ispettore con i suoi aiutanti era intento negli offici della Direzione Provinciale della Banca, in Montelusa calò, *simile a falcon che vede il suo nido in periglio, il potentissimo uomo politico che stavasi a Roma, beato infra gli allori.*

Fatto sta che due giorni appresso l'Ispettore partecipava a una sontuosa partita di caccia organizzata dal detto uomo politico e dalla quale l'Ispettore tornò col carniere colmo e non solamente d'uccellagione.

E della sullodata disamina nulla più si seppe.

E di questo silenzio io fui pubblico esternatore di un presagimento, di una troppo facile profezia.

E dunque sommessamente suggeriamo alle Autorità inquirenti di non seguir solo tracce di privati conflitti, di piccole vendette, di familiari vicissitudini, ma di puranco volgere l'attenzion loro non insomma alle vicende di un ragioniere oscuramente scomparso, ma alla carica che quel ragioniere rivestiva e all'opera bancaria da lui svolta in obbedienza agli ordini del politico consanguineo che a quel posto l'aveva voluto.

Gaetano Rizzopinna

Stazione
dei Reali Carabinieri
di Vigàta

Al Signor
Capitano RR CC
Montelusa

Al Signor
Questore
Montelusa

Vigàta, li 28 marzo 1890

Oggetto: Indagini su scomparsa
Num. Prot. 322

Questa mattina ci siamo recati, come ieri dettovi, nel Gabinetto del Dottore Picarella Giosuè, medico curante del ragioniere Patò, allo scopo di pigliare conoscenza dello stato di salute dello scomparso.

Il Dottore Picarella ha in sulle prime oppostoci un fermo diniego alla nostra domanda asserendo essere dovere suo di medico non dare notizie sugli ammalati che presso di lui erano in cura perché aveva fatto un patto con un certo Ipocrate (che a Vigàta risulta sconosciuto) e che di conseguenza non era disposto a parlare del Patò con "porci e cani" (queste le parole sue precise).

Avendo io, Maresciallo dei RR CC, risposto con risentite parole che non ero un porco e avendo il Delegato di P.S. detto che manco lui era un cane e che ci trovavamo nel Gabinetto per fare le nostre funzioni, il Dottore Picarella alquanto si calmava e fornivaci smozzicate informazioni che possono essere riassunte in quanto segue.

Essere il ragioniere Patò di sana e robusta costituzione fisica.

Alla domanda se qualche volta avesse patito di scordatine di memoria, egli rispondeva in modo sicuro quanto segue.

Mai.

Alla domanda se avesse avuto occasione di visitare il Patò negli ultimi tempi e come l'avesse trovato, egli rispondeva quanto segue.

Ho avuto modo di visitare il paziente Patò proprio il lunedì precedente il venerdì della sua scomparsa a causa che egli, il Patò cioè, erasi prodotta una veniale slogatura al polso mancino che manco ci fu bisogno di tenerlo appeso al collo, bastò il passaggio di una pomata.

Alla ripetuta domanda su come l'avesse trovato nel complessivo, egli rispondeva quanto segue.

Averlo trovato vivace ed eccitato, cosa che solitamente non era. Ma questo certamente era da ascriversi alla imminenza della rappresentazione del "Mortorio" nella quale il Patò di assai trovavasi impegnato.

A precisa domanda, risponde quanto segue.

Il Patò non soffriva di mali di testa, di cali di umore, di attacchi di nervoso e non avendo bisogno di cure non pigliava speciali medicine.

Tornati in Stazione, abbiamo trovato che

stava ad aspettarci il mastrodascia Vapano
Cosimo il quale aveva una dichiarazione da
farci su un fatto accaduto la mattina del 24,
quando aveva ricevuto dal Delegato di P.S.
l'ordine di smontamento del palco, fatto al
quale non aveva dato importanza alcuna. Ma,
avendolo contato alla di lui moglie, era
stato da questa incitato a venirci a dire
quanto segue.

Quando già tutta la parte superiore del
palco era stata smontata e portata nel magazzeno del Vapano, si presentava in sulla Piazza Grande un signore cinquantenne del quale
il mastrodascia non capivaci quasi niente datosi che il signore spiccicava poche parole
d'italiano. Finalmente capiva che trattavasi
di un turista inglese venuto a Montelusa a
causa di visitare i Templi e che aveva avuto
modo di sapere della scomparsa del ragioniere
Patò. Egli domandava al Vapano quanto segue.

Potere esaminare la scala dal mastrodascia
costruita per consentire al ragioniere Patò
di scomparire nel sottopalco senza tema di
farsi male.

Non avendo nulla in contrario e non trovan-
do nella richiesta cosa che portasse turbati-
va alle ricerche dello scomparso, il Vapano
consentiva.

Dopo un poco di tempo impiegato a guardare
la scala da tutti i lati, l'inglese domandava
in prestito al Vapano un metro col quale pigliava a misurarla in tutti i modi possibili,
riportando le misurazioni su un foglio di
carta quadrettato secolui portato. Dopo un
due ore di osservazione della scala, l'inglese ringraziava, dava al Vapano una certa man-

cia *(che egli non ha voluto specificare di quanto) e quindi se ne partiva.*

Abbiamo mandato allora una Guardia a Montelusa a informarsi presso il migliore albergo della città sul passaggio di questo inglese. La Guardia, rientrata, ci ha riferito quanto segue.

L'inglese in oggetto essere un Lord che di nome e cognome fa Alistair O'Rodd e pare che sia uno scienziato della Corte inglese.

Non riusciamo a capire la ragione e la finalità delle sue misurazioni. Ma non ci pare logico pigliare la strada di un interesse della Corte inglese nella scomparsa del ragioniere Patò. Se ne vedono ne' paraggi dei Templi di inglesi che non ci stanno tanto con la testa.

Al fine della comprensione di quanto ora andiamo a scrivere si rende di necessità una premessa che è quanto segue.

Il giorno avanti la rappresentazione del "Mortorio" perveniva per mezzo postale a questa Stazione dei RR CC una lettera da Montereale a firma di croce di tale Vasapolli Onofrio nella quale si dichiarava quanto segue.

Avere egli un fratello, Vasapolli Arturo, affetto di mania religiosa e a lungo dimorato nel manicomio provinciale. Dimesso in qualità di guarito, in realtà il Vasapolli Arturo ha continuato a essere ancora più pazzo di prima. Avendo infatti saputo che in Vigàta sarebbe stato rappresentato il "Mortorio", il Vasapolli Arturo dichiarava che questa volta Giuda non l'avrebbe passata liscia e che avrebbe provveduto ad ammazzarlo *lui* stesso con le di *lui* proprie mani.

Essendo dopo ciò detto il Vasapolli Arturo immantinenti scomparso dalla casa del fratello indove viveva, questo a scanso di personali responsabilità aveva voluto avvertire dell'accaduto la Stazione dei RR CC.

Recatici quindi in Montereale, abbiamo rinvenuto il Vasapolli Arturo in ginocchio davanti alla porta di casa che fervidamente pregava. Il di lui fratello ci dichiarava quanto segue.

Dopo l'andata fuori di casa di Arturo, il Vasapolli Onofrio erasi messo alla di lui cerca nelle strade del paese, nelle case dei vicini e nella circostante campagna. La cerca ripigliava alle prime luci del giorno appresso, che era proprio il Venerdì Santo, e verso le 5 del dopopranzo egli finalmente rinveniva il fratello in casa della nota meretrice del luogo Bontade Agata, la quale dichiarava trovarsi l'Arturo nel di lei letto fin dal giorno avanti. A stare alle dichiarazioni del Vasapolli sano, Arturo alterna botte di crisi mistiche a botte di inarrestabile incontinenza sessuale. Mentre s'incamminava verso Vigàta con l'intenzione di ammazzare Giuda, il Vasapolli Arturo era stato pigliato dal bisogno di una femmina ed era tornato di corsa a Montereale per soddisfare le sue voglie.

Bontade Agata, da noi espressamente interrogata, ci ha confermato appieno le dichiarazioni del Vasapolli Onofrio.

Di ritorno da Montereale, ci siamo portati in casa del ragioniere Patò indove ci riceve-

va la di lui moglie signora Mangiafico Elisabetta, visibilmente affranta vuoi per la mancanza di notizie del consorte, vuoi per un
episodio disagevole, ma di rilevanza nessuna
ai fini della indagine, accaduto in mattinata
nel corso di una Santa Messa fatta celebrare
dalla medesima signora Mangiafico per impetrare la Grazia di far ritornare il marito.

Abbiamo domandato alla signora di poter
esaminare il vestito che il ragioniere aveva
indossato quando erasi recato a recitare nel
"Mortorio" allo scopo di verificarlo attenta-
mente per ritrovarvi eventuali tracce, lettere o altro, che in qualche modo potessero
concorrere a delucidare la scomparsa.

Al che la signora rispondeva quanto segue.

Nessuno le aveva mai riportato indietro gli
abiti del marito.

Noi in verità ci eravamo fatti persuasi che
il ragioniere fosse scomparso avendo ancora
addosso il costume di Giuda e che quindi, in
seguito, qualcuno avesse fatto pervenire alla
signora il di lui vestito.

Allora ci siamo recati dall'Arciprete don
Spiridione Randazzo domandandogli se avesse
avuto notizia di dove fosse andato a finire il
vestito del ragioniere Patò, ma egli nulla ne
sapeva né manco chi avesse potuto pigliarselo.

Onde meglio appurare il fatto, ci portavamo
nel palazzo Curtò di Baucina.

Quivi il signor marchese, guidandoci nel
vasto magazzeno messo dalla sua cortesia a
disposizione dei signori Attori, ci spiegava
quanto segue.

Avere egli fatto suddividere il predetto
magazzeno in tanti piccoli loculi ottenuti

per mezzo di grossi spaghi tesi da una parete all'altra dai quali pendevano delle lenzuola, sicché ogni singolo Attore potesse godere di una qual protezione dallo sguardo altrui nel mentre che si spogliava. Ogni loculo era dotato di una sedia e di un tavolinetto sul quale trovavasi magari un piccolo lume.

La mattina del giorno della rappresentazione don Gesuino Albanese, assistente di don Spiridione Randazzo, recossi nel magazzeno segnando sopra un pezzo di carta appeso su ogni telo il nominativo del personaggio al quale ogni loculo era riservato. E sul tavolinetto di ogni loculo don Gesuino Albanese dispose tutto quello che serviva ad ogni attore: costume, parrucca, bastone, etc.

Il marchese Curtò di Baucina ci ha dichiarato che all'atto dello smantellamento dell'apparato nel magazzeno, che avvenne sotto sua personale sorveglianza, non fu rinvenuto alcunché che avesse a che fare col ragioniere Patò. Il loculo a lui riservato mostravasi assolutamente vacante di abiti e di oggetti.

Don Gesuino Albanese, da noi subito appresso rintracciato e interrogato, manifestavaci che quando lui passò nel magazzeno dopo la recita per mettere in ordine costumi e trucchi, il loculo del ragioniere Patò gli si presentò completamente spoglio, fatta eccezione del tavolinetto, della sedia e del lume.

A questo punto, fattasi l'ora di cena, abbiamo ritenuto opportuno sottoporre a interrogatorio tutti gli Attori portandoci di casa in casa.

E abbiamo saputo quanto segue.

Nessuno degli Attori, dopo la scomparsa del

ragioniere attraverso la botola, l'ha più rivisto.

Nessuno degli Attori ha la minima idea di dove siano andati a finire i vestiti e le scarpe del ragioniere.

Il ragioniere Lo Forte che era stato colui che era andato a cercare il ragioniere Patò non vedendolo presentarsi al suo fianco per i ringraziamenti al pubblico (vedi nostro precedente rapporto), ci ha detto quanto segue.

Essergli tornato alla memoria che il Patò, quando era nel loculo per mettersi il costume di Giuda, aveva a lui allato un sacco di juta scarsamente riempito o vuoto, non si ricorda con precisione.

Naturalmente nemmanco di questo sacco si è rinvenuta traccia alcuna.

Il fatto che non si trovi né il costume di Giuda né l'abito civile del ragioniere Patò ci produce alquanti interrogativi che si possono riassumere in quanto segue.

Il ragioniere Patò è stato rapito avendo ancora indosso il costume di Giuda? Se sì, in questo caso chi ha asportato l'abito civile? E perché?

Il ragioniere è stato costretto a rivestirsi prima di essere portato via? Se è così, viene a dire che l'aggressione al ragioniere deve essersi verificata nel corso di quella ventina di minuti abbondanti intercorrenti tra l'apertura della botola e la fine della rappresentazione. Ma, se è andata così, perché gli aggressori hanno ritenuto necessario magari l'asporto del costume di Giuda che anch'esso non è stato ritrovato?

In data odierna è comparsa sul giornale palermitano "La Gazzetta dell'Isola" una lettera dell'Onorevole Gaetano Rizzopinna nella quale veniamo invitati a seguire le tracce delle presunte malversazioni avvenute nella filiale della Banca di Trinacria a favore degli interessi personali e di politica di un notissimo uomo politico. A seguito di ciò, sempre secondo l'Onorevole, sarebbe avvenuta la scomparsa del ragioniere Patò.

A onor del vero molte sono le voci che in città si rincorrono intorno all'ipotesi che il ragioniere sia stato rapito per fatti bancari. Alcuni sostengono che il ragioniere possa essere stato rapito per esercitare una forte pressione sullo zio che è il notissimo uomo politico.

In tutta coscienza, andare a dare un'occhiata tra le carte della Banca sarebbe cosa forse necessaria. Ma siamo impossibilitati a farlo in assenza di regolari e indispensabili autorizzazioni.

Attendiamo istruzioni in proposito.

Con osservanza

Il Maresciallo dei RR CC   Il Delegato di P.S.
   (Paolo Giummàro)   (Ernesto Bellavia)

Al Signor Gesualdo Barreca
Direttore della "Gazzetta dell'Isola"
Via Garibaldi n. 3
Palermo

Montelusa, li 28 marzo 1890

La presente per comunicarle che ho ricevuto formale incarico dal mio cliente, *Commendator Felice Scammacca,*
Presidente della Banca di Trinacria, di sporgere querela
per diffamazione a mezzo stampa, con ampia facoltà di
prova, avverso lei, in qualità di Direttore del giornale *"La*
Gazzetta dell'Isola", e avverso l'Onorevole *Gaetano Riz-*
zopinna, autore della lettera diffamatoria apparsa in data
odierna sul suo giornale.
Tanto le dovevo.

Avv. Prof. Attilio Locuratolo

Attilio Locuratolo

REGIA PREFETTURA
DI MONTELUSA

IL PREFETTO

Al Signor Questore
di Montelusa

Al Capitano
Comandante RR CC
Montelusa

RISERVATA PERSONALE

Montelusa, li 29 marzo 1890

Signor Questore, Signor Capitano,
parmi essere stato gesto assai gentile da
parte delle Signorie Vostre Ill.me, e da me
assai apprezzato, l'avermi messo al corrente
della quistione inerente la possibilità di
richiedere al Tribunale di Montelusa l'autorizzazione onde i vostri subalterni e sottoposti di Vigàta possano accedere alle carte,
vuoi d'amministrazione, vuoi di corrisponden-
za, che trovansi nella filiale vigatese della
Banca di Trinacria.
Premesso che le Signorie Vostre Ill.me sono
liberissime di agire, nell'ambito delle responsabilità loro, pel conseguimento della
Verità (ché questa solo a noi interessa) con
i mezzi che più ritengono adeguati e opportu-
ni, vorrei sommessamente ricordare che la
Banca di Trinacria ebbe già a suo tempo a essere sottoposta ad esaustiva ispezione da

113

parte della controllante Banca Nazionale che nulla di men che corretto ebbe a rilevarvi.

Ancor più recentemente, in conseguenza della scomparsa del ragioniere Patò, la filiale di Vigàta nuovamente è stata sottoposta a ispezione e ancor in questo caso non si ebbe a segnalare alcunché di irregolare.

Inoltre mi è stato dato di conoscere che, a seguito della lettera apparsa sulla "Gazzetta dell'Isola" a firma dell'Onorevole Rizzopinna, il Presidente della Banca ha querelato per diffamazione il Direttore del giornale e l'Onorevole.

Ora come ora, una richiesta di perquisizione (ché di questo sostanzialmente verrebbe a trattarsi) della filiale della Banca, immantinenti si proporrebbe alla pubblica opinione (e non solamente ad essa) come un avallo degli Inquirenti a favore di una delle due parti attualmente contrapposte.

Ed inutile sarebbe ogni tentativo di frenar dicerie, malevole supposizioni, insinuazioni più o meno esplicite.

Che fare, adunque?

Senza menomamente voler suggerire alcunché ad alcuno, parmi essere assai saggia cosa percorrere prima tutte le altre vie che possano condurre alla soluzione del mistero della scomparsa del ragioniere Patò e solo alla fine, quale extrema ratio, quando esse vie risulteranno sbarrate o altrimenti impercorribili, addivenire, con discrezione e nei modi da concertare con chi di dovere, a una visita (più o meno formale) nella filiale della Banca.

Comunque, senza voler mancare di rispetto a

niuno, mi preme dichiarare che, ove tale visita dovesse essere effettuata, a compierla
dovranno essere persone altamente qualifica-
te, in grado cioè di destreggiarsi in quella
foresta di numeri che opino essere una conta-
bilità bancaria.

Vogliate gradire i sensi della mia stima.

Il Prefetto di Montelusa
(Francesco Tirirò)

L'ARALDO di MONTELUSA

Gerente: Pasquale Mangiaforte   **Sabato, 29 marzo 1890**

Un increscioso incidente

Ieri, venerdì 28, a una settimana dall'inspiegabile e purtroppo ancora inspiegata scomparsa del ragioniere Antonio Patò, della quale ne' giorni scorsi lungamente parlammo, la signora Mangiafico Elisabetta, consorte del ragioniere, faceva celebrare, assistendovi coi figlioletti e con larga schiera di parenti, amici e conoscenti, una Messa speciale onde impetrare la Grazia del ritorno del marito.

Poiché trovavasi da due giorni a Montelusa, ospite del fratello, padre Giustino Seminara, famoso quaresimalista, l'Arciprete don Spiridione Randazzo l'invitava a pronunciar qualche parola di conforto e di speranza.

Padre Seminara volentieri accettava e quindi non si peritava d'esprimere, con voce tonante, qual fosse il suo pensiero al proposito della scomparsa.

Al termine dell'esposizione del valente quaresimalista, la signora Mangiafico è caduta in deliquio ed è stata trasportata a braccia fin nella di lei abitazione tra il pianto dirotto de' figlioletti e il comprensibile nervosismo di parenti e amici.

Diamo qui di seguito un riassunto dell'ipotesi, a dire il vero alquanto ardita, che padre Seminara ha formulato sul fatto.

Egli ha esordito ricordando che sempre, nei secoli, dura e severa è stata la condanna che la Santa Madre Chiesa ha scagliato contro il teatro che è, sempre e comunque, ancor quando si camuffa da spettacolo edificante, opra somma del Demonio. Egli, dopo aver citato con straordinaria dottrina passi dell'Apostolo Paolo, dell'Apostolo Giacomo, di Tertulliano, di Sant'Agostino e di altri che qui per brevità si omettono, ha asserito di voler trarre partito da una considerazione del grande Giacomo Benigno Bossuet, Vescovo di Meaux, autore tra l'altro di una ponderosa opera di massime e riflessioni sul teatro. Cosa sostiene il Vescovo Bossuet e con lui padre Seminara? Che i termini teatro e passione sono la stessa cosa e che quindi, riprodurre, ricreare una passione sulle tavole del palcoscenico equivale a spingere lo spettatore a subire, a patire quella stessa medesima passione.

E a riprova della verità delle sue parole, padre Seminara si è rivolto direttamente ai fedeli così apostrofandoli:

"Quanti tra voi son quelli che han lacrimato e sofferto all'uno con l'attore o con l'attrice che in sulle tavole del luciferino palco lacrimava e soffriva per una pena amorosa magari peccaminosa, fors'anco adulterina e dettata solo dallo scomposto agitarsi de' sensi? Quindi l'attore, così oprando, non vi trascinava secolui nelle spire del peccato mortale?"

Padre Seminara ha siffat- tamente concluso questa parte del suo discorso:

"L'attore è contagioso! Capace di inoculare al mondo intero il suo pernicioso veleno! Ed è ben per questo che, in tempi di vero rispetto per i dettami della Santa Madre Chiesa, era fatto assoluto divieto di seppellire i comici in terra consacrata!"

Indi il padre quaresimalista ha proseguito affermando d'aver compiuto, nei due giorni che si è trovato a Montelusa, una sua personale indagine sul fatto accaduto a Vigàta. Da questa ha appreso che, a parere della stragrande maggioranza infra coloro che al "Mortorio" assistettero e che da anni usano assistervi, il ragioniere Patò, nell'interpretare Giuda, diventava, spettacolo appresso spettacolo, ognor più bravo, più convincente, cioè a dire sempre più repugnante come il traditore per antonomasia. Qualcuno degli interpellati è arrivato ad asserire che, nel corso della rappresentazione della settimana avante, il Patò era riuscito a pervenire a un tale gradus di verità sì d'apparire, agli occhi di molti, come la reincarnazione del vero Giuda. L'avvocato Angelo Maria Lobianco ("sono stato da lui stesso autorizzato a riferir le sue parole" ha voluto precisare padre Seminara) rimase talmente sconvolto da quella impersonificazione di Giuda da dover dare di stomaco sulle scarpe del vicino di posto che potrebbe all'occorrenza darne testimonianza.

Che il ragioniere Patò – ha continuato padre Seminara – raggiungesse un tale livello d'immedesimazione era abbastanza prevedibile. Perché chi volontariamente si offre a far la parte di Giuda dimostra di tener celata, ne' recessi dell'anima sua, una connaturata propensione al male, una naturale vocazione al tradimento.

Nel caso specifico del ragioniere Patò, all'atto del suo impersonare Giuda, si produsse una sorta di tragica inversione: se l'attore è colui che, diabolicamente, è capace di diventare, di trasformarsi in un altro che non sia lui, in un altro da sé, questo non accadde per il Patò. In lui capitò il contrario, il venire alla luce, l'esplodere del suo intimo vero e fino a quel momento mascherato signum individuationis, sicché egli diventò un tutt'uno con sé. Si trattò quindi, più che di una reincarnazione, di una nuova venuta al mondo di quello stesso Giuda che tradì Gesù. Si può affermare che fu la troppa bravura del Patò a perderlo.

No, ha concluso l'eminente quaresimalista, ogni terrena ricerca del ragioniere è inevitabilmente destinata a risolversi in nulla. Secondo padre Seminara i casi sono due: o il Signor Iddio Onnipotente, indignato nel veder rivivere Giuda, ha voluto di subito cancellarlo dalla faccia della terra o il Maligno ha risposto alle invocazioni di Giuda, sua creatura, spalancandogli la terra sotto i piedi e facendolo precipitare tra le fiamme dell'Inferno. Tertium non datur.

Le parole di padre Giustino Seminara hanno profondamente scosso gli astanti. Tra gli abitanti di Vigàta le discussioni, spesso molto animate, si sono protratte fino a tardi.

Don Spiridione Randazzo, l'Arciprete, non ha voluto commentare in alcun modo le affermazioni di padre Seminara. Egli si è limitato a dire che, per l'anno che viene, sarà costretto a ingaggiare un attore professionista per la parte di Giuda perché, in seguito a quanto detto da padre Seminara, sarà assai difficile reperire un Giuda in loco.

Al Delegato   Al Maresciallo
di P.S.   dei RR CC
Vigàta   Vigàta

Montelusa, li 30 marzo 1890

D'intesa con il Signor Capitano Comandante dei Reali Carabinieri di Vigàta sono addivenuto alla conclusione che al momento è assolutamente prematuro ipotizzare un qualsiasi nesso tra l'attività del ragioniere Patò quale Direttore della filiale vigatese della Banca di Trinacria e la sua scomparsa.

Vogliate pertanto astenervi da qualsiasi iniziativa al riguardo.

Il Questore di Montelusa
(Liborio Bonafede)

Regio Ministero dell'Interno
Il Sottosegretario di Stato

A Sua Eccellenza Rev.ma
Boscaino Monsignor Angelo
Curia Vescovile di
Montelusa

PRESSANTE!

Roma, li 30 marzo 1890

Eccellenza Reverendissima,
ahi qual duolo recommi il bercio di un tal quaresimalista allorché amiche voci sollecitamente me ne riferi-
rono!

Lei ben sa, Reverendissimo, quale umile bèrbice
del gregge Suo io sono, ognora pronto a compellermi
laboriosamente a ogni sia pur minimo volere della
Santa Chiesa nostra della quale Lei è sì pio e sì
nobile rappresentante in Vigàta.

E adunque, qual male ha fatto il dilettissimo mio
Antonio per esser sì crudelmente, senza carità cristiana alcuna, additato qual novello Giuda all'esecrazio-

121

ne de' divoti? Quelle parole efimere non son, perché dette nella Casa del Signore e quindi destinate a metter radici nel sentire di molti.

E qui non sto a dirle lo strazio patito e l'orribile affronto alla cara Elisabetta, consorte del mio nepote diletto.

Cosa potrà fare il suo amore di Padre e di Pastore per amovere tal marchio da una vicenda già di per sé dolorosa?

Mi prosterno, Reverendissimo, confidando nella Sua alta Sapienza.

Artidoro Pecoraro

Al Delegato
di P.S.
Vigàta

Al Maresciallo
dei RR CC
Vigàta

Montelusa, li 30 marzo 1890

Né io né tampoco il Capitano Comandante dei RR CC abbiamo ricevuto il vostro rapporto inerente la giornata di ieri, 29 c.m.

Forse che lorsignori si sono convinti della giustezza della teoria formulata in chiesa da don Seminara e hanno deciso di abbandonare l'indagine piamente rimettendosi alla volontà del Signore?

Il Questore di Montelusa
(Liborio Bonafede)

Al Signor   Al Capitano
Questore   Comandante RR CC
Montelusa   Montelusa

Montelusa, li 30 marzo 1890

Num. Prot. 216
Oggetto: indagini su scomparsa

   Vivamente ci iscusiamo di non avere potuto
far fronte al rapporto in data 29 c.m. in
quanto impegnati in rilevamenti e misurazioni
che siamo riusciti a portare a buon fine solamente a ora tarda.
   Ci pregiamo compiegare in n. 4 (diconsi quattro) alligati i risultati del nostro lavoro.
   Con osservanza.

Il Delegato di P.S.   Il Maresciallo dei RR CC
(Ernesto Bellavia)   (Paolo Giummàro)

alligato 1

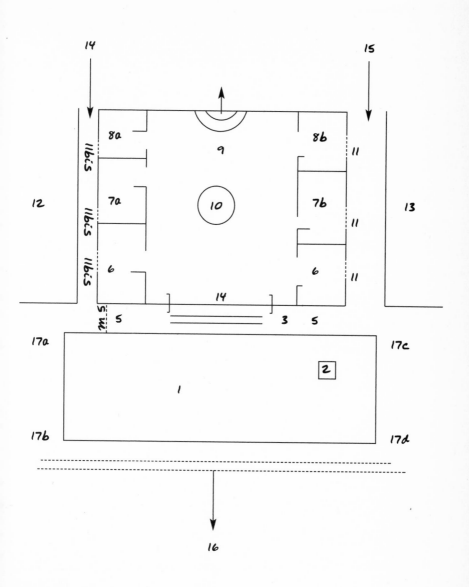

Alligato 2

Spiega dei numeri dell'alligato 1:
1) Palcoscenico in legno di m.30 di lunghezza, m.10 di profondità e m.1,86 di altezza. Distanza dalla facciata di palazzo Curtò m.5.
2) Botola per la scomparsa di Giuda (non è in scala per farla meglio risaltare) sotto la quale trovavasi la speciale scala quadrata.
3) Scalinata in legno per permettere la salita e la discesa dal palco ad attori e comparse. Il piede di detta scala è a m. 1,50 dalla facciata.
4) Portone d'ingresso di palazzo Curtò.
5) Porte laterali sbarrate.
6) Magazzeni adibiti a carrozzeria e a deposito di cereali tenuti sempre chiusi durante la rappresentazione.
7a) Magazzeno adibito a spogliatoio femminile per comparse.
7b) Magazzeno adibito a spogliatoio maschile per comparse.
8a) Magazzeno adibito a spogliatoio per le signore attrici.
8b) Magazzeno adibito a spogliatoio per i signori attori.
9) Scalea d'accesso ai piani superiori di palazzo Curtò.
10) Artistica fontana in mezzo al cortile.
11) Finestre con inferriate.
11 bis) Altre finestre con inferriate.
12) Palazzo Piscuto.
13) Palazzo Capodirù.
14) Vico Re Ruggero che costeggia palazzo Curtò.

15) Via dell'Unità che costeggia palazzo Curtò.

16) Platea e pubblico.

17a) Guardia civica Salamone Alfio.

17b) Guardia civica Pusateri Alfonso.

17c) Guardia civica Clemente Ignazio.

17d) Guardia civica Calò Calogero.

Alligato 3

Pianta del magazzeno 8b adibito a spogliatoio maschile per i Signori attori.
Per ogni loculo vedere il nome degli occupanti.

9

8

7

6

5

4

3

2

10

11

12

13

17

14

15

16

1

Alligato 4

Spiega dei numeri dell'alligato 3:
1) Porta d'entrata al magazzeno.
2) Loculo adibito a tenerci costumi e trucchi
in sovrannumero.
3) Signor Vincenzo Lagùmina.
4) Signor Bernardo Provenzano.
5) Geom. Leoluca Gabarella.
6) Rag. Franco Lo Forte.
7) Avv. Filippo Mancuso.
8) Signor Carmelo Nicolosi.
9) Finestra con inferriate.
10) Signor Gaetano Spampinato.
11) Maestro Erasmo Giuffrida.
12) P. Agrario Taddeo Veronica.
13) Signor Saverio Abisso.
14) Geom. Nicolò Sardella.
15) Insegnante Andrea Camilleri.
16) Rag. Antonio Patò.
17) Corridoio centrale.

L'ARALDO di MONTELUSA

Gerente: Pasquale Mangiaforte   **Lunedì, 31 marzo 1890**

Un triste accidente

Ieri, domenica, il novantenne signor Adolfo Cannarozzo è tornato a sedersi al solito tavolo del Caffè Ateneo dopo una lunga assenza dovuta prima a una difficile operazione subita all'Ospedale San Giuseppe di Montelusa e quindi a una lunga convalescenza tra le mura della sua casa.

Il signor Cannarozzo è stato calorosamente festeggiato da amici e conoscenti. Egli infatti, prima che il ragioniere Patò ne pigliasse il posto, è stato un acclamatissimo Giuda nel "Mortorio" per un decennio all'incirca.

A un certo momento, mentre il Cannarozzo mangiava una porzione di cassata siciliana della quale era molto ghiotto, uno dei presenti gli domandava se era a conoscenza della congettura sulla scomparsa del Patò fatta da padre Seminara. Il vegliardo diceva di non saperne niente e l'interlocutore, imprudentemente, gliela riferiva. Al sentire che il ragioniere Patò era stato cancellato dalla faccia della terra sostanzialmente per la sua bravura, il Cannarozzo balzava in piedi, dicendo con voce strozzata:

"Ma iu eru cchiù bravu d'iddru!"

E quindi s'accasciava fulminato da un colpo apoplettico.

A nulla sono valsi i soccorsi.

130

Regia Questura
di Montelusa

Il Questore

Al Delegato   Al Maresciallo
di P.S.   dei RR CC
Vigàta   Vigàta

Montelusa, li 31 marzo 1890

Abbiamo molto apprezzato, il Capitano Comandante dei RR CC e io, la diligenza con la
quale avete tracciato piante e piantine, ri-
tenendo doveroso inviarcene copia.
Sappiate che il giorno destinato agli
scherzi cade il 1° di aprile.
Se questo era il vostro intendimento, vi
siete sbagliati di data.

Il Questore di Montelusa
(Liborio Bonafede)

Liborio Bonafede

Al Signor   Al Capitano
Questore   Comandante RR CC
Montelusa   Montelusa

                    Vigàta, li 31 marzo 1890

Num. Prot. 217
Oggetto: Rapporto su scomparsa

    Colpiti dalla simiglianza tra le parole
contenute nella lettera anonima fatta pervenire al ragioniere Patò ("Tu che fai la parte
di Giuda sei peggio di lui") e il concetto
espresso da padre Giustino Seminara nella
Chiesa Madre durante la Santa Messa voluta
dalla signora Mangiafico maritata Patò, ci
siamo sovvenuti di un episodio capitato qualche tempo fa in un paese vicino quando un
dottore e un farmacista, recatisi insieme a
cacciare, eran stati assassinati entrambi.
Orbene, il Delegato Laurana, che sul duplice
omicidio aveva l'incarico d'indagare, riescì
a scoprire l'autore di una lettera anonima,
che l'omicidio preannunziava, composta con
ritagli di giornale come quella mandata al
Patò. Il Delegato Laurana lesse il foglio
controluce sicché sia pure malamente venissero in evidenza le lettere stampate nel retro
di ogni consonante e di ogni vocale che for-

mavano l'anonima. Venne così a conoscenza che trattavasi di un giornale particolare che in quel paese veniva acquistato da due o tre persone. Sicché il campo d'indagine gli si restringette notevolmente.

Osservata controluce la lettera mandata al Patò, abbiamo dovuto constatare che la colla di farina, usata dall'anonimo per incollare le lettere dell'anonima, rapprendendosi e ispessendo la carta, ha reso impossibile la lettura. Allora, con l'ausilio di acqua calda e vapore acqueo, siam riusciti a distaccare ogni singola lettera e a ripulirla alquanto. Abbiamo così avuto conferma di quello che già sospettavamo: il giornale adoperato è "L'Araldo di Montelusa", vale a dire il più diffuso in provincia.

Ad ogni buon fine, abbiamo con discrezione indagato sui possibili rapporti intercorrenti tra il ragioniere Patò e padre Seminara. I due non si sono mai conosciuti. Il fratello di padre Seminara, Gerolamo, abitante a Montelusa, conosceva di vista il Patò, ma non ha mai secolui avuto rapporti di sorta, nemmanco d'affari.

Il fallimento di questa sia pure leggera possibilità, ci ha vieppiù convinti che abbiamo fallato l'impostazione generale dell'inchiesta.

Infra noi ragionando, nel mentre che procedevamo ai rilievi, ci inferì l'idea che, al contrario di come è costumanza in ogni indagine per omicidio o per scomparsa, stavolta non abbisognava principiare dalla ricerca del MOVENTE, ma dal modo usato per far scomparire il ragioniere.

Insomma, non cercare subito il PERCHÉ, ma rivolgersi al COME.

L'utilità dei nostri rilevamenti e delle nostre misurazioni, onde le piante a Voi inviate, consiste nell'avere sempre sottomano la referenza dei luoghi sì da poter con maggiore agevolezza seguire i percorsi fatti dal Patò e dai suoi assalitori.

Vi comunichiamo inoltre che le piantine si sono addimostrate necessarie in quanto il marchese, ogni volta che ci vede arrivare a palazzo, si fa vedere sempre più nervoso della nostra presenza, arrivando a dire frasi di questo tipo:

"Nuovamente qua siete? Ma quando finisce sta gran camurrìa? Io chiudo il palazzo e mi trasferisco a Palermo!"

Tanto per conoscenza.

Il Delegato di P.S.	Il Maresciallo dei RR CC
(Ernesto Bellavia)	(Paolo Giummàro)

Curia Vescovile di Montelusa

A Don
Spiridione Randazzo
Arciprete della Chiesa Madre
Vigàta

Montelusa, li 1 aprile 1890

Arciprete colendissimo,
vengo a significarle il doloroso rincrescimento di S.E.
Rev.ma il nostro amatissimo Vescovo per l'accadimento
avvenuto nell'appena trascorso Venerdì Santo nella Chiesa Madre di Vigàta.

Incauto agire è stato il suo nell'invitare padre Giustino
Seminara a parlare durante la Santa Messa voluta dalla
Signora Patò per impetrar la Grazia d'aver novella del di
lei consorte.

Don Seminara, uomo pio e di elevato sentire, patisce di
due piccoli nei: il non pieno controllo della sua veemente
eloquenza e il ferreo sostentamento de' propositi suoi che
ne fanno un personaggio che pareva svanito fin da' tempi
della predicazione per le Crociate.

Inoltre è ben cognito che don Giustino Seminara è

aduso a molto praticare col licore che addormì Noè, ancor prima che sia consacrato e trasmutato in sangue di Nostro Signore.

Nella sua infinita benevolenza e carità S.E. Rev.ma il nostro Vescovo non ha voluto scorgere, nelle parole del Quaresimalista, offesa alcuna a Lui personalmente indirizzata, avendo S.E. Rev.ma sollecitamente desiderato assistere (e in prima fila!) alla recita del "Mortorio" vigatese.

Al proposito, S.E. Rev.ma fa notare che padre Seminara ha, nella sua poderosa dissertazione, almeno peccato d'omissione in quanto ha citato testi alla sua tesi più convenienti, altri tralasciandone perché non facevano al caso del famigerato "Cicero pro domo sua".

E in effetti don Seminara parole non ha appulcrato su quanto un Padre della Chiesa (forse il sommo), San Tommaso d'Aquino, dice a favore del teatro.

Il Sommo accetta e considera lecito il mestiere dell'attore non trovandovi alcunché di diabolico e quindi, subspecificatamente, dichiara essere il teatro né illecito né negatore dell'istessa Dottrina Cristiana.

Sua Eccellenza Reverendissima si compiace di portare a sua conoscenza che, se è pur vero che l'episodio raccontato da Tertulliano e ricordato da padre Seminara (quello cioè di una donna la quale, recatasi in teatro, venne posseduta dal Demonio che fecela cadere in sfrenato commercio carnale, sicché all'Esorcista che gli chiedeva d'abbandonar quel corpo il Diavolo poté rispondere: "Io ho preso questa donna perché era mio diritto, l'ho trovata in un teatro, ossia a casa mia"), se insomma è pur vero tutto questo è altrettanto se non di più indiscutibile e vero che l'attore Genesio, in sul finir del III secolo a.C., rappresentando innanzi all'imperatore Diocleziano un mimo nel quale si sbeffeggiava il Santo Battesimo, venne improvvisamente

folgorato dalla Grazia e repentinamente si convertì profes-
sandosi cristiano. Messo a morte, alta proclamò la sua
Fede e venne annoverato tra i Santi. Ma questo innegabile
fatto padre Seminara ha preferito tacerlo.

Eppertanto Sua Eccellenza Rev.ma vuole paternamente
invitarla a cogler spunto da queste sue riflessioni su San
Tommaso e su San Genesio nella sua veniente predica, ac-
ciocché in qualche modo possasi far fronte all'avventato
eloquio di padre Seminara che avrà purtroppo lasciato
tracce nell'animo semplice de' fedeli.

Vuole inoltre ella essere tanto cristianamente pietoso da
recarsi dalla Signora Patò per esprimerle tutto il rammari-
co di S.E. Rev.ma per quanto è accaduto?

Sua Eccellenza Reverendissima le invia la sua paterna
Benedizione.

Il Segretario particolare di S.E. il Vescovo
(Don Orione La Ferla)

La Gazzetta dell'Isola

Direttore: Gesualdo Barreca

Palermo, 1 aprile 1890

Una strana amicizia

Era noto in Vigàta come, fino a qualche tempo fa, il Delegato di Pubblica Sicurezza Ernesto Bellavia e il Maresciallo dei Reali Carabinieri Paolo Giummàro fossero quali cane e gatto. La reciproca animosità dimostravasi tale che, incontrandosi per via, i due manco si degnavano di scambiar saluto e a ogni menoma occasione l'uno non si peritava di dir peste e corna dell'altro.

Orbene, da quando il Delegato e il Maresciallo sono stati obbligati, da superiore volontà, a lavorar di concerto nell'indagine sulla scomparsa del ragioniere Patò, i due rappresentanti della Legge in Vigàta, dopo una prima accettazione ob-

torto collo della situazione, son passati via via a rapporti meno guerreschi, pervenendo alla fine alla più totale e cordiale intesa.

Sicché adesso è dato ai vigatesi il vedere i due sovente promenarsi sottobraccio e fittamente infra loro parlare, reciprocamente appellandosi "caro Ernè" e "caro Paolì".

Sottobraccio passeggiano gli amiconi, disturbando ora la quiete di palazzo Curtò ora quella della Chiesa Madre, ora piombando in casa di rispettabili cittadini ora scambiando lucciole per lanterne, ma sempre tenendosi rigorosamente lontani dai paraggi della Banca di Trinacria.

138

Grand Hotel des Palmes

Palermo, li 1 aprile 1890

Al Signor Sindaco
di Vigàta

Signor Sindaco!
Il mio nome è Alistair O'Rodd e sono Astronomo Reale di Corte del Regno Unito di Gran Bretagna. Questa mia lettera è stata cortesemente tradotta in lingua italiana dal nostro Console a Palermo signor Edwyn Mc Farlane.

Son trascorsi oramai anni diciotto da quando la pubblicazione di una mia teoria scientifica sull'Universo ebbe a sollevare, infra Accademici e Studiosi dell'intero mondo, discussioni e polemiche che assai frequentemente tralignarono tanto la facinorosa denigrazione quanto l'entusiastica accessione.

Questa mia teoria, volgarmente conosciuta come "Teoria degli interstizi", piglia spunto dalla trasformazione galileiana delle coordinate dello Spazio-Tempo.

All'interno del continuum Spazio-Tempo, nel quale l'Universo a noi conosciuto per così dire galleggia o meglio fluttua, hanvi, è ben risaputo, precisi intervalli che nella trascrizione del sistema vengono definiti di volta in volta con il segno + (più) o con il segno − (meno). È estrema-

mente raro che due segni del medesmo valore coincidano, quasi sempre al segno + della fascia temporale esattamente corrisponde il segno – della fascia spaziale e viceversa.

La domanda che, ancor giovinetto, mi posi, fu questa.

Che accade nel continuum nel momento in cui tra intervallo e intervallo formasi un interstizio? Vale a dire cioè la coincidenza di due segni negativi? Essa coincidenza non potrà generare altro che un vuoto, un interstizio appunto, che viene a prodursi tanto nella fascia spaziale quanto nella fascia temporale. Attraverso uno qualsiasi di questi interstizi si potrebbe risalire verso il Passato o precipitare nell'Avvenire.

Nel mentre che su tale problema incompellevami, volle il felice caso che lo sguardo mi cadesse su di un articoletto dello "Scientific" nel quale narravasi di un singolare accidente capitato negli Stati Uniti d'America durante la Guerra di Secessione, episodio meglio conosciuto come quello de "L'uomo che girò attorno ai cavalli".

Narravasi di un soldato sudista, tale Anthony Patow, il quale era stato punito dal suo sergente a girar di corsa per ben cinquecento volte attorno a dieci cavalli legati tutti a un medesmo palo. Il Patow non era benvoluto da' suoi commilitoni e pertanto essi, per dileggio, assister vollero all'esecuzione della pena.

Compiuto il quarantesimo giro, il Patow non ricomparve agli occhi loro. In sulle prime credendo a uno scherzo o che il loro compagno accasciato si fosse fuora della loro vista, tre commilitoni alla sua ricerca si mossero, ma per quanto intorno volgessero il guardo, epperfino infra le zampe delle cavalcature, non lo rinvennero. Erasi nell'aria letteralmente dileguato. I soldati vennero dalli Superiori sosannati. Abbenché mostrassero come il palo infisso fosse al centro di una piana spasa, ov'era impossibile il celarsi, non venner creduti. Vano sovraggiungere che del Patow non ebbesi mai più novella.

Questo episodio trovai altore del lento coobamento che andavo facendo sul pratico effetto della mia teoria degli interstizi.

Anni appresso, per pura curiosità isguardando le cronache di Sedan, scritte da Marcel Lecoq, appresi, con stupore pari alla soddisfazione, che il 31 agosto 1870, vale a dire due giorni avanti la capitolazione di Napoleone III, un soldato francese che aveva tentato di disertare, tale Antoine Pateau, era stato messo al muro per essere fucilato. Ma di colpo, sotto gli occhi del plotone di esecuzione che su lui tenea i fucili puntati, letteralmente nell'aria si dissolse, lasciando afflosciate per terra le corde che lo legavano.

Non ebbi più dubbio alcuno. Questa era la definitiva, indarno confutabile comprova della giustezza della teoria mia.

Il soldato Anthony Patow, nel girare attorno ai cavalli, era caduto in un interstizio spazio-temporale che lo proiettò nel Futuro, tant'è vero che ricomparve a Sedan anni dopo col nome di Antoine Pateau per riprecipitare in un novello interstizio.

Trovatomi nei giorni passati in Montelusa per archeologico diletto, seppi da un valletto dell'albergo della scomparsa di tale Antonio Patò mentre recitava, e perciò di tutti alla vista, in uno spettacolo religioso.

Adunque Anthony Patow, mutando nome in Antoine Pateau e quindi in Antonio Patò continuava (sia pure non più in panni militari) il ciclo delle sue cadute da interstizio a interstizio!

Precipitatomi in Vigàta, ho potuto lungamente esaminare parte del palcoscenico e sovrattutto la scala sulla quale Antonio Patò era caduto subito dopo il passaggio attraverso la botola.

141

Non havvi possibil dubbio, incertezza alcuna: il feno-
meno si è novellamente ripetuto!

Siccome è assodato che il Patow è caduto in avanti al-
l'interno dell'interstizio, tanto è vero che è riapparso anni
dopo come Pateau, anche lui caduto in avanti dato che si è
ripresentato come Patò, è assolutamente essenziale cono-
scere se quest'ultima volta il Patow-Pateau-Patò sia cadu-
to medesimamente in avanti o sia all'indietro precipitato.

In questo secondo caso il Patò avrebbe interrotto il ciclo
interstiziale verso il Futuro per intraprendere il ciclo di
segno inverso e quindi risalire nel Passato.

È fondamentale conoscere questo. Occorre saperlo.

Basterebbe l'attenta consultazione degli Archivi storici
dell'Isola per evincere tutti i fenomeni di scomparsa acca-
duti nel Passato, in particolar modo di individui dal nome
e cognome assonante con Patow (esempio: Patù), con Pa-
teau (esempio: Papò), con Patò (esempio: Palò).

Io la impetro, Signor Sindaco, e non mi sforzo d'usar
anadiplosi, arditamente tale ricerca iniziare: Ella diverreb-
be il Benemerito della Scienza e della Umanità!

Le resultanze non potranno comunque che esser positi-
ve. Infatti, ancorché non si iscoprisse la menoma traccia di
scomparse di Patò anteriori, questo rivelerebbe che Antonio
Patò è pur lui caduto in avanti e viaggia verso il Futuro.

Potrà rispondermi indirizzando al Console di Palermo.
Con i miei migliori complimenti.

Sir Alistair O'Rodd
(Astronomo di Corte)

```
——— REGIA DELEGAZIONE ———
——— di PUBBLICA SICUREZZA
——————— di VIGÀTA ———————
```

Al Signor   Al Capitano
Questore   Comandante RR CC
Montelusa   Montelusa

Vigàta, li 1° aprile 1890

Prot. Num. 218
Oggetto: Indagini su scomparsa

Stamane siamo stati cortesemente convocati
dalla signora Mangiafico Elisabetta in Patò
nella di lei abitazione.
La signora, che pativa di un poco di febbre
a seguito dell'episodio avvenuto nella Chiesa
Madre venerdì passato, aveva saputo della nostra visita al Dottore Giosuè Picarella, medico curante del di lei marito.
La signora, a malgrado del suo stato di salute, mostravasi assai sollecita a rispondere
alle nostre domande, invero forse paventando
che alla scomparsa del marito si continuasse-
ro a dare spiegazioni sul tipo di quella for-
nita da padre Seminara, preferendo ella solu-
zioni più terrene.
Ella ci spiegò d'averci disturbato in quanto voleva rivelarci cosa che al Dottor Picarella il Patò aveva preferito tenere celata.
Da un mese il ragioniere pativa d'insonnia,

tanto da doversi far dare un certo rimedio alloppiante dal farmacista Lopane. La causa dell'insonnia era da rinvenirsi, secondo quanto aveva spiegato il Patò alla moglie che gli aveva trovato la boccettina nella tasca del cappotto, nella tragica scomparsa, avvenuta un mese avanti in Palermo ove erasi recata a trovare la sorella, della signora Infantino Rachele, moglie del Direttore provinciale della Banca di Trinacria, ragioniere Cardillo Emanuele, risiedente in Montelusa.

Ogni sabato pomeriggio il ragioniere Patò recavasi alla Sede provinciale della Banca per riferire al Direttore Cardillo l'andamento della filiale. Facendosi spesso tardi, il Cardillo invitava a cena il Patò. Sicché ben presto il rapporto di lavoro si cangiò in legame d'amicizia e divenne usuale che il Patò, ogni sabato sera, si trattenesse a cena dai Cardillo. Anche la signora Patò partecipò qualche volta a queste cene, ma le era d'ostacolo a una più assidua frequenza la presenza dei figlioletti.

Quando la signora Infantino Rachele scomparve, il Patò molto ne ebbe a soffrire e da quel momento intensificò le visite all'amico Cardillo, già prostrato oltretutto da una grave malattia, per molcerne l'amaro dolore.

Questa, a dire della signora Mangiafico in Patò, la causa del nervosismo del marito con conseguente insonnia nel corso dell'ultimo mese. Egli, a malgrado la signora a ciò l'avesse ripetutamente invitato, mai aveva accondisceso a farne parola col suo medico curante, giustificando il suo diniego con l'asserire che col tempo tutto sarebbe passato.

Questo stato d'animo del marito, e la signora Patò ne è fermamente persuasa, sicuramente deve avere contribuito a quella perdita di memoria che ne ha causato la scomparsa.

Abbiamo colto l'occasione per domandare alla signora se sapeva niente di un sacco di juta che il marito avrebbe secolui portato recandosi a palazzo Curtò per levarsi il vestito e indossare il costume. La signora si è dimostrata di molto maravigliata: il marito era uscito da casa assai presto per essere puntuale, puntiglioso e preciso com'era mai avrebbe tollerato d'arrivare con un ritardo sia pur minimo, ma è più che certo che non aveva niente in mano e meno che mai un sacco di juta.

Da nostri successivi riscontri è emerso che:

essere vero che il ragioniere Patò si era fatta dare dal farmacista Lopane una pozione soporiera;

essere vero che il ragioniere Patò era arrivato per primo nello spogliatoio e che il suo amico Lo Forte aveva notato il sacco di juta.

Intendiamo però segnalare che il farmacista Lopane, mentre stavamo da lui accomiatandoci, aggiungeva le seguenti parole:

"Ma del resto non era la prima volta."

Domandatigli chiarimenti, egli spiegavaci che da almeno due anni il ragioniere Patò soffriva di insonnia, in quanto già in passato erasi fatto dare quel rimedio.

Recatici nuovamente a casa Patò, domandavamo alla signora se era a conoscenza che il marito pativa di insonnia da ben due anni e che perciò era costretto a pigliare quel medicinale da molto tempo e non solo nell'ultimo mese. La signora, parendoci del tutto sincera, cadeva dalle nuvole, del resto mai aveva visto il marito pigliare quel medicinale prima di andare a letto.

Per quale cagione il Patò teneva celato a tutti, moglie e medico compresi, il suo malostare che non gli faceva chiudere occhio?

Il Delegato di P.S.   Il Maresciallo dei RR CC
(Ernesto Bellavia)   (Paolo Giummàro)

MUNICIPIO DI VIGÀTA

ESTRATTO VERBALE DI SEDUTA

Il Consiglio Comunale di Vigàta, riunitosi in seduta il 2 aprile 1890, alle ore 10 (dieci) antimeridiane, ascoltata la lettura della lettera inviata da Sir Alistair O'Rodd inerente la richiesta di far svolgere una ricerca in tutti gli Archivi dell'Isola onde appurare se in anni trascorsi si sieno verificati casi di misteriose scomparse;

C O N S I D E R A T O   C H E

troppe sono state, sono e saranno le scomparse misteriose in Sicilia

R I G E T T A

sia pure con sommo rammarico la richiesta dell'Ill.mo Astronomo di Corte del Regno Unito di Gran Bretagna perché il Municipio trovasi assolutamente carente di fondi.

La Gazzetta dell'Isola

Direttore: Gesualdo Barreca — Palermo, 2 aprile 1890

Un buon consiglio

Un lettore di Vigàta ci ha inviato una lettera, debitamente firmata con relativo indirizzo, ma che noi preferiamo avvolgere nell'anonimato per ragioni che saran facili da comprendere da' nostri lettori, nella quale avanza alcune non ovvie congetture sulla scomparsa del ragioniere Patò.

Le congetture del lettore vigatese nascono dall'avere assistito, il giorno appresso alla scomparsa del Patò, a una scena indove il Cassiere principale della Banca di Trinacria, filiale di Vigàta, il ragioniere Vitantonio Tortorici, incitando a gran voce un manipolo di fabbriferrai, faceva cangiare tutte le serrature del portone d'ingresso della filiale.

Da qui il lettore vigatese evinceva che, in uno col ragioniere, eran puranco scomparse le chiavi vuoi del portone d'ingresso vuoi della cassaforte.

Avanzando da questo punto abbastanza sorretto dal lume della ragione, il lettore ne fa conseguire due distinte ipotesi.

La prima sarebbe che il ragioniere Patò, approfittando della confusione generale, sia stato sequestrato, armi alla mano, da ignoti malviventi per impossessarsi delle chiavi della filiale onde potervi penetrare indisturbati e a bell'agio nottetempo, operando un furto, di carte negoziabili o di danaro, certamente redditizio.

La seconda ipotesi, sicuramente assai più sottile e interessante, prospetta che il ragioniere sia stato del tutto consenziente a un simulato rapimento che avrebbe consentito agli ignoti (ignoti a noi, non certo al ragioniere Patò né a chi il piano ha ideato e concertato) d'inscenare un furto mistificatorio e reale a un tempo.

Sì, perché in uno con i danari custoditi nella cassaforte (destinati certamente qual guiderdone ai ladri), sarebbero dovute sparire puranco tutte le carte compromettenti per la Banca di Trinacria, comprovanti i traffici di qualche potente uomo politico di Montelusa e dintorni.

Qualcosa però, durante il camuffato rapimento, non deve avere funzionato come Patò e i suoi amici si ripromettevano.

Noi non ci sentiamo di sottoscrivere nessuna delle due ipotesi.

Il ragioniere Vitantonio Tortorici potrebbe agevolmente ribattere che il cambio delle serrature della fi- *liale non è stato altro che un normale, e dovuto, atto precauzionale. E noi non sapremmo dargli torto.*

Però i due amiconi che girano per le strade di Vigàta affettuosamente tenendosi a braccetto e fingendo di svolgere le più accurate indagini, ci riferiamo al Delegato di P.S. e al Maresciallo dei RR CC, possibile che non osino manco accostarsi ne' paraggi della filiale di Vigàta della Banca di Trinacria?

Amenoché non vi siano stati impartiti ordini dall'Alto di girare al largo dell'intoccabile Banca, suvvia, amiconi, indirizzate il vostro passo nella direzione giusta.

È un buon consiglio che vi diamo.

REGIA DELEGAZIONE
di PUBBLICA SICUREZZA
di VIGÀTA

Al Signor   Al Capitano
Questore   Comandante RR CC
Montelusa   Montelusa

                    Vigàta, li 2 aprile 1890

Num. Prot. 219
Oggetto: Rapporto su scomparsa

Se le Signorie Vostre Ill.me vogliono com-
piacersi di tenere sotto agli occhi le due
piantine trasmesse in alligato al rapporto in
data 30 marzo c. a., e in prima la pianta de-
signata quale Alligato 1, agevolmente potranno seguire i nostri ragionamenti sulla scomparsa del ragioniere Patò.

1) Ipotesi della perdita di memoria.

Secondo la signora Mangiafico in Patò, e
con lei molti altri cittadini di Vigàta, il
ragioniere, cadendo sulla scala sottomessa
alla botola (2), ripiegandosi nel contempo in
due perché altrimenti la testa e buona parte
del busto sarebbero rimasti esposti alla
vista de' presenti, batte con violenza la
fronte o la nuca e dalla scala precipita restando esanime nel sottopalco.
Ripresosi dopo qualche minuto, esce dal

sottopalco barcollante e privo di memoria. Quindi, passando dietro le spalle della Guardia civica Salamone Alfio (17a), si avvia non visto per vico Re Ruggero dove si disperde oppure fa la istessa cosa, ma passando dietro le spalle della Guardia civica Clemente Ignazio (17c) per disperdersi stavolta in via dell'Unità.

Tutto questo sarebbe logicamente possibile se non ostasse il fatto della scomparsa del vestito e delle scarpe del ragioniere.

Datosi che è certo che gli abiti e le scarpe non sono stati rubati, la ricostruzione della scomparsa del ragioniere per perdita di memoria ci mostra il ragioniere che, sortito da sotto il palco completamente ismemorato dopo la caduta, ciononostante brevemente recupera quel tanto di lucidità che gli consente di portarsi in 16 (vedi Alligato 3), levarsi il costume, indossare i propri vestiti, mettere il costume dentro il sacco di juta e qui, riperdendo nuovamente quel momento di lucidità, di nuovo sortire e, passando alle spalle di 17a (o di 17c), quindi svanire in 14 (o in 15).

Tale ricostruzione appare del tutto inverosimile.

È mai possibile che nessuno l'abbia incontrato durante il suo andare e venire?

È mai possibile che una perdita di memoria abbia l'andamento che abbiamo sopraddetto, vale a dire un va e vieni continuo?

2) Ipotesi del rapimento.

Un uomo (che da ora in avanti chiameremo il rapitore), arrivando da 14 (o 15) e passando

151

dietro le spalle di 17a (o di 17c), perviene nel retropalco e striscia nel sottopalco (cosa assai facile da fare).

Non appena il ragioniere Patò, terminata la sua scena, scende dalla scala del sottopalco, si imbatte nel rapitore il quale, minacciandolo con un'arma, l'obbliga a precederlo in 16.

È pensabile che, una volta uscito dal sottopalco, il rapitore abbia intascato l'arma tenendola però sempre puntata contro il Patò, al fine di non ingenerare allarme se avessero incontrato qualcuno.

Arrivati al 16, il rapitore fa levare il costume al ragioniere, lo costringe a rivestirsi de' suoi abiti, infila il costume di Giuda nel sacco e quindi, sempre minacciandolo, l'obbliga a passare secolui alle spalle di 17a (o di 17c) prendendo, nel primo caso, vico Re Ruggero o, nel secondo, via dell'Unità.

Riteniamo che il rapitore indossasse abiti borghesi e non da contadino in quanto, se fosse stato notato da qualcuno durante la messa in atto del piano, il suo stare assieme al ragioniere non avrebbe sollevato sospetti.

Però la cosa non ci persuade,

Il piano è troppo macchinoso e periglioso, in ogni momento rischia di essere mandato all'aria da un incontro casuale. Un eventuale sequestro del ragioniere sarebbe stato più sicuro e agevole a esser messo in atto in momenti maggiormente propizi.

Ed è da escludere che il sequestro sia avvenuto per il pagamento di un riscatto. La signora Mangiafico in Patò, la quale largamente dispone di suo, ci ha giurato di non avere ricevuto richiesta alcuna. E se richie-

152

sta ci fosse stata, magari rivolta a un parente o affine, questo largamente si sarebbe risaputo ad opera vox populi.

Allora quale la possibile cagione del rapimento?

Non certo quella cervellotica apparsa questa mattina sulla "Gazzetta dell'Isola": se volevano fare scomparire carte compromettenti potevano farlo come e quando volevano senza far ricorso a modi sì tanto vistosi.

Il Delegato di P.S.   Il Maresciallo dei RR CC
(Ernesto Bellavia)   (Paolo Giummàro)

Sir Michael Christopher Enscher

Buckingham Palace, 2 aprile 1890

Al Signor Sindaco
di
Vigàta

Illustrissimo Signor Sindaco!

Il mio nome è Michael Christopher Enscher e ho l'onore di essere Archeologo della Corte di Sua Maestà Britannica.

Parlo e scrivo la vostra lengua perché mia modre era italiana, nata Piovasco di Rondò, cugina prima della Principessa Imelda Sanjust degli Orticelli.

Dai primi dì di marzo mi sono stato in Vigàta, magificamente ospitato di amico Marchese Simon Curtò di Baucina, essendo in mia intenzione di sotto ponere a esame di tassellatura vostro belissimo monumento detto Tempio di Concordia.

Epperciò mi sono stato di vedere alla representazione di "Martario" (si dice così?). Dopo che ho saputo da amico Marchese Curtò che Signore il quale che faceva parte di Giuda erasi scomparito in quanto non rientrato in sua casa.

A pensiero di signor Marchese Curtò lui rapito da briganti in quanto che la signora moglie essendo molto ricca.

Altro di più interesse non misi in questione fino a che,

154

sortendo di palazzo per andare in Tempio, non vidi, cosa per me inaxspettata, Sir Alistair O'Rodd il quale che examinava una costruzione in legno che era stata apposta in davanti di palco ma io mai vista prima. Sono di proverbio a Corte, in Londra, gli scontri tra io e Sir Alistair che io penso essere solo grande ciarlatano.

Allora tornato in dentro palazzo fatto dare cannocchiale e visto chiaramente quale che era l'oggetto che interessava Sir Alistair.

Quando lui finalmente andato, la scala, essendo questo l'oggetto, restò lì di lungo così che io potetti riportarla in mio disegno.

La sera, in tavola che mangiavo, feci domanda di come che exacto funzionava la botola giù per la quale io stesso avevo visto scomparsare con bello effecto il l'attore che faceva Giuda. Il Marchese Simon spiegò me che fino cinque anni indietro di tempo, oppure di poco di più, la botola veniva aperta da omo che stava pronto in sotto di palco. Il signale di apertura botola era dato da Giuda il quale che batteva piede tre volte, a terzo l'omo adetto, tenendo sé a distanzia da attore cadente, tirava lunga corda che botola apriva levando barra di ferro. Quando che vennero signori a fare parti, in sotto di botola venne messa scala per evitare che attore cadente si portasse male. Tutavia signor Patò, prima volta, si guastò di caviglia. Allora ci fu modificazione forma di scala fatta di signor carpentiere.

Tratasi di una plataforma exacto quadrata, come cubo di legno, coperta di legno di tutti e sei i lati, quindi come grossa cassa, alta metri 1,10 da terra e di metri 1 per lato. I gradini sono messi solo su tre lati.

La plataforma di superiore è vestita di panno ripieno di paglia per attutire romore di caduta sopra di essa e anche per evitare male di caduta.

Quella notte io passai senza di sonno a studiare disegni di scala di me disegnati e all'alba sono arrivato a conclusione tirribile che ora le spiego.

Prima di scrivere a Lei mia risultanza, ho voluto tornare a Londra per ri-leggere certi volumi che difficili a trovare.

Signor Sindaco!

Colui il quale che fece costruzione di scala non sapeva che aveva costruito scala, perigliosamente gemella di quella inventata, e della quale con grandezza si è parlato sul "British", sullo "Scientific" e altri, da grande matematico Roger Penrose.

Tratasi di scala perniciosa ed micidiale!

Quando che venne sotto posta in botola in sotto palco, essa scala era praticamente non nociva. E infatti, durante che ci furono tutte le prove, la scala non rivelò mai sua micidialità e signore Giuda non scomparve.

Ma ne lo spictacolo, dopo caduta in attraverso botola, Giuda, nel cadimento, deve avere non avvertitamente, spostato col piede inclinazione di primo gradino forse non bene messo con chiodi.

Questa tirribile cosa!

È stato bastevole questo picolo spostamento perché quella scala diventasse identicamente uguale a scala di Penrose che è come la pratica attuazione di brutto incubo. Chi vi si trova in cima e fa primo passo di scendere, è destinato scendere sempre stesa scala senza più avere possibilità di ri-salita.

Quindi mio pensiero è che signore Giuda <u>stia ancora scendendo.</u>

Signor Sindaco!

Come fare per fare tornare signore Giuda?

Mio pensiero è tentare sperimentazione però che non mi sento di essere garanzia di bono resultato.

Si consiglia in uno dei proximi venerdì di venire a ri-
fare il "Martario" (si dice così?) exacto davanti a stesso
pubblico e con li stessi actori. Il palcoscenico deve avere
stesse dimensioni e deve essere di stare in dove che stava
di precedente.

Un actore, di stessa corporatura di stessa altezza di
stesso pesamento, uguale in fino a centigrammo, di Giuda
scomparso si dovrà a lui sostituire fino a quando che botola si apre, senza però cadere dentro.

A lo stesso preciso punto in dove che c'era la scala di
prima ce ne deve essere altra in apposito costruita segundo
mio disegno che sono pronto a mandare che è scala di Penrose invertita, in dove che chi la adopera è costreto a salire
sempre.

Si dovrebbe in quel momento vedere dunque ri-compa-
rire lo Giuda scomparsato.

Rimango di disposizione per domande di chiarezza.

Lei può dare sua risposta prendendo contacto con Marchese Simon Curtò di Baucina.

Sir Michael Christopher Enscher

Regio Ministero dell'Interno

Il Sottosegretario di Stato

All'Ecc.mo
Bonafede Comm. Liborio
Questore di
Montelusa

Roma, li 3 aprile 1890

Eccellentissimo Commendatore,

l'acerrimo patema che tormentami, il duro cilizio che rovellami scesomi è fino all'interiore splancico, profondar facendomi in perniciosa acedia.

Infino a quando sarò costretto ad abbeverarmi nell'amaro acetabolo?

Da quando nel dì del Dolore per tutti i Credenti, nel triste e tristo giorno di Parasceve, sparissi il mio nepote diletto, requie non trovo, panacea quantunque m'è negata, ancorché le governative cure tentino, invano!, di distrar il pensiero fisso mio.

Ben conosco come le inquirenti forze, da Lei con

158

tanta brillantezza guidate, oprino in modo assai lungi dal potersi definire profuntorio, eppure, Eccellentissimo, si degni di prestar benevola udienza alla querimonia mia, al mio supplice implorar e mi dia, al breve, una novella resolutoria e lieta oppur, ma Dio ne scampi!, infausta. Tutto, mi creda, fuorché quest'abbruciar per lento foco, o, se lo preferisce, questo lento affondar in paludosa melma!

Un responso qual sia!

Almen servirebbe a imporre la mordacchia a chi trae nutricamento dal quotidian mendacio spandendo inverso me, per pura avversion politica, un graveolente nidore.

Le reitero il mio confidente grazie.

Il Sottosegretario di Stato
(Pecoraro Senatore Gran. Uff. Artidoro)

P.S.

Proprio ieri son riuscito a dissuadere S.E. il Ministro dal promuovere una ispezione (pura formalità, s'intende!) nella Questura di Montelusa che Lei sì egregiamente presiede.

Lei, in momenti come questi, non deve patire preoccupazione alcuna.

(Scritta anonima apparsa sul muro di una casa di Vigàta la mattina del 3 aprile 1890)

160

Al Capitano   Al Signor
Comandante RR CC   Questore
Montelusa   Montelusa

Vigàta, li 3 aprile 1890

Oggetto: Indagine su scomparsa
Num. Prot. 323

Dietro nostre domande abbiamo appreso da
don Gesuino Albanese, assistente dell'Arciprete don Spiridione Randazzo, quanto segue.

Avere egli stesso don Gesuino fornito il
famoso sacco di juta la sera avanti la rappresentazione al ragioniere Patò dietro sua
richiesta.

Il Patò giustificò la domanda del sacco asserendo che doveva fare aggiustare una manica
del costume che gli tirava impacciandogli il
movimento.

Disse a don Albanese che la cosa gli era
facile datosi che l'indomani mattina doveva
recarsi a casa sua una sarta per un abito
della moglie.

161

Avuto il sacco, ci mise dentro il costume e se ne andò.

Recatici in casa della signora Mangiafico in Patò e interrogatala in proposito, essa ci ha dichiarato quanto segue.

Non avere mai visto il di lei marito rientrare in casa con un sacco di juta contenente il costume di Giuda.

Non averle egli mai parlato della manica che gli tirava.

Non avere avuto, da almeno due mesi a questa parte, necessità di farsi venire a casa la sarta.

A nostro parere, è possibile invece pensare quanto segue.

Il ragioniere dice di portarsi a casa il costume nel sacco di juta, ma invece non se lo porta a casa, abbensì se lo porta nella filiale della Banca di Trinacria indove che, essendo la filiale chiusa per orario tardivo e di perciò vacante, egli può mettersi il costume e in santa pace ripassarsi la parte, cosa di cui ne aveva di bisogno.

E difatti il ragioniere Lo Forte, da noi appositamente interpellato, ci ha detto quanto segue.

A malgrado che recitasse quella parte da anni, questa ultima volta il ragioniere Patò pareva patire di forti faglianze di memoria, per cui si scordava con frequenza quello che aveva da dire come Giuda.

Siccome però al momento della rappresentazione benissimo recitò, c'è da pensare che la parte se la sia ripassata altrove.

E dove se non nella tranquillità della filiale deserta?

Non poteva certamente a casa sua, dove ci sono i figlioletti che abbiamo avuto modo di constatare essere di molto rumorosi.

Ma se le cose stanno così, allora ci domandiamo quanto segue.

Se il sacco di juta conteneva solamente il costume di Giuda, una volta che il ragioniere l'aveva indossato per recitare, detto sacco, durante la rappresentazione, doveva ragionevolmente essere vuoto.

Ma perché il rapitore, una volta nel loculo, fatto indossare al ragioniere il suo abito civile, ha rimesso il costume dentro al sacco, esattamente come aveva fatto il ragioniere?

E perché portarselo appresso invece di lasciare costume e sacco gettati alla sanfasò dentro il loculo?

Il Maresciallo dei RR CC   Il Delegato di P.S.
  (Paolo Giummàro)   (Ernesto Bellavia)

Paolo Giummàro   Ernesto Bellavia

REGIA QUESTURA
DI MONTELUSA

IL QUESTORE

Al Delegato   e p.c. Al Maresciallo
di P.S.   RR CC
Montelusa   Montelusa

Montelusa, lì 4 aprile 1890

Ci siamo detti, il Capitano dei RR CC e io, che se venissimo chiamati a dire la nostra in merito agli articoli che su voi due va pubblicando la "Gazzetta dell'Isola", non sapremmo onestamente qual partito prendere.

Non ce la sentiremmo infatti d'ismentire considerato che dai vostri rapporti chiaramente si evidenzia come i vostri personali rapporti si vadan facendo ognor più che amichevoli.

Le vostre firme in calce, in sulle prime sì distanti, si sono via via ravvicinate insino a parer un festevole annunzio di prossime nozze, tanto sono amorosamente appaiate.

Orsù! È bene che voi andiate d'amore e d'accordo, come si usa dire, ma non dovete mai perder di vista che un sano, reciproco contraddittorio è la premessa indispensabile di una sintesi finale che suggelli la buona riuscita dell'indagine.

Quella riuscita che da troppo tarda.

E io ne vengo sollecitato in alto loco.

Attendiamo al più presto le vostre conclu-
sioni.

Il Questore di Montelusa
(Liborio Bonafede)

La Gazzetta dell'Isola

Direttore: Gesualdo Barreca   **Palermo, 5 aprile 1890**

Complimenti e auguri

Abbiamo con molto piacere appreso che il ragioniere Emanuele Cardillo, Direttore Provinciale a Montelusa della Banca di Trinacria, della quale abbiamo sì frequentemente parlato su queste nostre pagine, è tornato in servizio dopo un mese e passa di assenza per malattia.

La sua salute, già compromessa da due anni a questa parte da quella che dal volgo vien nomata "malattia del sonno" (comodo, il responsabile provinciale di una banca che di tanto in tanto dormitat), era rimasta ulteriormente scossa per la scomparsa della moglie avvenuta in Palermo e non le ha certo giovato nemmeno la recentissima sparizione del suo più fidato amico, il ragioniere Antonio Patò.

Ma il nostro Cardillo è uomo di forte tempra.

Chi ha tanto contato sulla Banca di Trinacria per fare i propri comodi elettorali e politici potrà dormire sonni tranquilli: tutto continuerà come prima.

Al ragioniere Emanuele Cardillo complimenti e auguri.

——— REGIA DELEGAZIONE ———
—— di PUBBLICA SICUREZZA
——————— di VIGÀTA ———————

Al Signor   Al Capitano
Questore   Comandante RR CC
Montelusa   Montelusa

                         Vigàta, li 5 aprile 1890

Num. Prot. 220
Oggetto: Indagine su sparizione

   Desideriamo segnalare un errore da noi più
volte compiuto nell'intestazione dei rapporti.
   Essi pertanto vanno corretti siffattamente:
Oggetto: Rapporto su sparizione.
   E di conseguenza va cassata la parola
"scomparsa" e sostituita con "sparizione".

Il Delegato di P.S.   Il Maresciallo dei RR CC
(Ernesto Bellavia)   (Paolo Giummàro)

MUNICIPIO DI VIGÀTA

ESTRATTO VERBALE DI SEDUTA

Il Consiglio Comunale di Vigàta, riunitosi in seduta straordinaria il 6 aprile 1890, alle ore 10 (dieci) antimeridiane, ascoltata la lettura della lettera inviata da Sir Michael Christopher Enscher il quale, dopo avere avanzato una sua teoria sulla scomparsa del ragioniere Patò, propone un sistema di non certo resultato per far ricomparire lo scomparso;

CONSIDERATO CHE

l'intrapresa suggerita da Sir Enscher appare invero macchinosa e costosa;

RIGETTA

la proposta pur con estremo rammarico perché il Comune trovasi assolutamente carente di fondi.

Comando
Provinciale
dei Reali
Carabinieri
Montelusa

Al Maresciallo
Giummàro Paolo

Queste sue spirito-
saggini lessicali non
sono degne della se-
rietà dell'Arma.
Si metta domattina
alle 8 (otto) a rappor-
to con questo Comando.

Per il Capitano
Comandante
Ten. Loffredo

Loffredo

Al Delegato di P.S.
Vigàta

Attendola domattina
infallantemente ore
dieci così avremo modo
di parlare di sinonimi
e di contrari.
Non è proprio il mo-
mento di sollazzarsi.

Per il Questore
di Montelusa

Antonio Cusumano

3

PRIMA E SECONDA
CONCLUSIONE

Stazione
dei Reali Carabinieri
di Vigàta

Al Signor
Loffredo Ten. Carlo
Comando provinciale RR CC
Montelusa

                    Vigàta, li 8 aprile 1890

Oggetto: Domanda di permesso
Num. Prot. 324

    Mi trovo stretto nella necessità di dover
domandare un permesso di ore 24 (ventiquattro) a decorrere da domani 9 aprile c.a. per
quanto segue.
    Motivi personali urgenti.
    Con osservanza.

                    Il Maresciallo dei RR CC
                        (Paolo Giummàro)

──── REGIA DELEGAZIONE ────
──── di PUBBLICA SICUREZZA ────
──────── di VIGÀTA ────────

Al Signor Questore
Montelusa

Vigàta, li 8 aprile 1890

Num. Prot. 221
Oggetto: Domanda permesso

Mi trovo stretto nella necessità di dover domandare un permesso di ore 24 (ventiquattro) dovendo domani mattina partire per Palermo per gravi motivi familiari. Certo dell'accoglienza,

Il Delegato di P.S.
(Ernesto Bellavia)

Ernesto Bellavia

REGIA QUESTURA
DI MONTELUSA

IL QUESTORE

Al delegato   e p.c. Al maresciallo
di P.S.   RR CC
Vigàta   Vigàta

Montelusa, li 9 aprile 1890

Non paghi della severa reprimenda a proposito dei vostri inutili scrupoli lessicali inflittavi tanto dal Capitano Comandante dei RR CC quanto da me, ci siamo accorti che avete fatto ricorso a uno strattagemma tanto banale quanto maldestro per ottenere un permesso di ore ventiquattro che vi è stato in tutta generosità accordato malgrado lo spaventoso ritardo nelle indagini sul caso Patò.

Voi avete fatto domanda di permesso separatamente, il Maresciallo al suo Superiore, il Delegato a me, nella speranza che non venisse a luce la coincidenza che avete tentato di tener celata.

Siete andati a bighellonare a Palermo? Speriamo che vi siate divertiti, perché è l'ultima volta che vi accade.

Questo è il nostro ordine:

Le indagini sul caso Patò vanno irrevoca-

bilmente chiuse entro giorni 10 (dieci) a far
data da oggi.

Comunque terminata l'indagine, sarete sottoposti a inchiesta disciplinare.

Il Questore di Montelusa
(Liborio Bonafede)

Liborio Bonafede

Al Signor   Al Capitano
Questore   Comandante RR CC
Montelusa   Montelusa

Vigàta, li 10 aprile 1890

Num. Prot. 222

Oggetto: Indagine su sparizione

Ne' giorni passati, un nostro fidato informatore avevaci riferito che il noto Pirrello
Calogero, capomaffia riconosciuto nella cui
corte trovasi schierato Ciaramiddaro Gerlando
(vedi nostri rapporti precedenti), avrebbe
profferito, sentendosi al sicuro da orecchie
indiscrete, la seguente minacciosa frase:

"Si lu trovanu vivu, ci pensu iu a ammazza-
rilu."

(Se lo trovano vivo, ci penserò io ad ammazzarlo.)

Era immediatamente a tutti chiaro che il
Pirrello intendeva riferirsi al ragioniere
Patò e quindi, di molto interessati, davamo
disposizioni all'informatore di riferirci
quanto avrebbe potuto appurare sulle causali
del risentimento del Pirrello.

Orbene, in data di oggi, l'informatore è
venuto a raccontarci una storia che, se vera
e provata, arricchirebbe di nuovi, imprevisti
elementi la nostra indagine.

179

Pare che giovedì 20 marzo c.a., finite le prove del "Mortorio", il Pirrello, vedendo che il ragioniere Patò apriva il portone della Banca, si faceva avanti dicendo al ragioniere di avere in tasca una rilevantissima somma di danaro che intendeva depositare.

Il ragioniere gli fece notare che la filiale era in realtà chiusa, infatti non vi era presente nessun impiegato.

Alle insistenze del Pirrello, il Patò fece una proposta: conservare provvisoriamente la somma nella cassaforte della Banca. Quando il Cassiere principale, ragioniere Tortorici Vitantonio avrebbe ripreso servizio passate le Festività, la somma gli sarebbe stata regolarmente versata in conto.

Il Pirrello accettò, dato che da tempo aveva rapporti bancari col Patò e se ne fidava. Il ragioniere gli rilasciò una ricevuta provvisoria.

Senonché, alla notizia della sparizione del Patò, il Pirrello sentì nascere qualche dubbio.

Recatosi alla filiale per avere certezza dell'avvenuto versamento, sentivasi rispondere dal ragioniere Tortorici non solamente che il Patò non gli aveva consegnato i danari per il versamento, ma che all'interno della cassaforte non c'era traccia alcuna della somma che il Pirrello sosteneva dovesse esserci in quanto di sua appartenenza.

A questo punto il Pirrello decideva di far finta di niente.

Avrebbe certamente potuto esibire la ricevuta rilasciatagli dal Patò, ma sapeva benissimo che essa non aveva niun valore legale, essendo sprovvista di qualsivoglia timbro. E poi questa sarebbe stata la prova provata di essersi lasciato raggirare dal Patò, cosa che gli avrebbe fatto perdere la faccia, rendendolo zimbello dei pari suoi.

Il ragioniere Vitantonio Tortorici, alle nostre domande, ha confermato la visita nella filiale del Pirrello.

Ma il Tortorici avanza una congettura da prendere in considerazione.

Secondo lui, la consegna di quella somma non è mai avvenuta, perché la procedura sarebbe stata sommamente irregolare e mai il ragioniere Patò si sarebbe prestato a qualcosa di men che corretto.

Sempre secondo lui, quella del Pirrello non è che una mossa per spillare quattrini alla Banca approfittando della situazione di disagio nella quale la filiale si trova per la scomparsa del suo Direttore.

A sostegno della sua tesi, egli porta il fatto che il Pirrello non gli ha voluto esibire la ricevuta provvisoria a firma Patò: questo gli fa supporre la sua inesistenza.

Però il Pirrello può non avergliela voluta esibire per la ragione di cui sopra.

Il Delegato di P.S.　　　Il Maresciallo dei RR CC
(Ernesto Bellavia)　　　(Paolo Giummàro)

REGIA QUESTURA
DI MONTELUSA

IL QUESTORE

Al delegato   e p.c. Al maresciallo
di P.S.   RR CC
Vigàta   Vigàta

Montelusa, li 11 aprile 1890

Per opportuna conoscenza, vi compiego copia della lettera a noi indirizzata dal Capitano Mangiafico Arnoldo, cognato del ragioniere Antonio Patò.

Da quanto si evince, non paghi di profondi studi lessicali, ora vi siete dati alla letteratura e al teatro.

A quando la brillante laurea?

Il Questore di Montelusa
(Liborio Bonafede)

Liborio Bonafede

Lettera in copia

Al Comandante dei Reali Carabinieri
Bosisio Capitano Arturo Carlo
Montelusa

Al Signor Questore
Bonafede Commendator Liborio
Montelusa

    Caltanissetta, li 11 aprile 1890

    Signori!
Non passa giorno che il Delegato
di Pubblica Sicurezza di Vigàta e
il Maresciallo dei Reali Carabinieri, dopo avere a lungo ronzato quai
mosconi ne' dipressi dell'abitazione della sorella mia, Elisabetta
Mangiafico in Patò, non finiscano
per penetrar nella di lei casa fa-
cendovi campo.
    Essi, senza compenetrazione niuna
per lo stato di tormentevole angoscia nel quale la poveretta giace-
si, di domande la sfiaccano, sof-
fermandosi più su bagattelle super-
flue e attrassando altre domande
forse di pertinenza maggiore.

E valga il vero.

Or non è guari essi han domandato alla dolente se il di lei marito si dilettasse a leggere romanzi e quali. Avutane sdegnata risposta negativa (posso io stesso testimoniare che mio cognato, uomo serio e di alti valori morali, aborriva similari letture disdicevoli), i due insistevano ancora se era solito assistere, nei dì natalizi, alla rappresentazione del popolar spettacolo nomato "La Pastorale".

Avendone questa volta ricevuta risposta positiva, essi si scambiavano occhiate d'intesa quasiché assistere a tale rappresentazione fosse grave colpa!

Riferirò a Chi di dovere, a Roma, di questo comportamento.

Saluti.

Mangiafico Capitano Arnoldo

Al Signor Maresciallo dei Reali Carabinieri
Paolo Giummàro
Stazione RR CC
Vigàta

Montelusa, li 12 aprile 1890

Chiarissimo Maresciallo,
se bene intesi il senso del cortese suo biglietto, ella mi pone
tre distinte domande alle quali mi pregio di rispondere.
  * Sì, ho assistito alla passata rappresentazione della
"Pastorale" in Vigàta e son pronto a parlargliene. E non
solo di quella, ma puranco di quelle trascorse.
  * Sì, posso illustrarvi alcune delle innumerevoli varian-
ti al testo, scaturite dalla popolar fantasia.
  * Ella può venire a trovarmi pur domani mattina col
Delegato di P.S. come gentilmente me ne fa dimanda.
  Perdonate la curiosità: se voi state inquirendo sulla
scomparsa del ragioniere Patò, perché interessavi tanto
"La Pastorale" che col "Mortorio" nulla ha a che fare?
  Ricambio i saluti.

Prof. Consolato Federigo

Consolato Federigo

Prof. Dott. Cav.
Emerico Notarbartolo
Specialista malattie affricane
Primario clinica S. Giuseppe

Al Signor
Bellavia Ernesto
Delegato di P.S.
Vigàta

Montelusa, li 12 aprile 1890

Signore,
vengo a rispondere alla sua missiva.

Sì, son io l'autore della relazione alla "Conferenza per le malattie affricane" intitolata "Inspiegabile guarigione da infezione da tripanosoma gambiense".

Tale relazione è stata accennata in varii giornali e tra gli altri puranco nella "Gazzetta dell'Isola" con un breve articolo purtroppo non esente da errori, e che è quello al quale lei si riferisce.

Nel caso del mio paziente di Montelusa, citato nella relazione, è avvenuta una singolare anomalia nell'insorgere della malattia: qui difatto non riscontravansi manifestazioni tipiche quali tumefazione diffusa dei linfonodi o accessi febbrili, no, qui il paziente soffriva di progressiva sonnolenza che gli impediva, tra l'altro, lo svolgimento del suo abituale lavoro.

Lei forse ignora che il successivo evolversi della malattia consiste in violenti attacchi d'asma ai quali di solito segue un mortal coma.

Le abituali terapie su lui praticate purtroppo non davan risultati di sorta.

Un giorno, senza preavviso alcuno, i disturbi di sonnolenza scomparvero del tutto dall'oggi al domani in seguito a violento trauma subìto dal paziente, vale a dire la drammatica scomparsa della moglie.

Il senso della mia relazione consisteva proprio in questo: può una emozione fortissima arrestare il decorso di una malattia?

In quanto all'ultima sua domanda, lei capirà come io sia impossibilitato a fare il nome del paziente, me lo vieta la deontologia professionale.

Posso, al massimo, non confermare e non ismentire il nome da lei fattomi.

Accolga i miei saluti.

Prof. Dott. Cav. Emerico Notarbartolo

Stazione
dei Reali Carabinieri
di Vigàta

Al Capitano   Al Signor
Comandante RR CC   Questore
Montelusa   Montelusa

Vigàta, lì 12 aprile 1890

Oggetto: Indagini su sparizione
Num. Prot. 325

Ci siamo recati in Montelusa per interroga-
re il ragioniere Cardillo Emanuele, Direttore
provinciale della Banca di Trinacria, in merito alle riunioni che a ogni sabato pomeriggio e sera avvenivano in Montelusa tra il
suddetto e il ragioniere Patò.

Con dovizia di cortesia, il ragioniere Cardillo ci ha detto quanto segue.

Il ragioniere Patò appresentavasi presso la
Sede di Montelusa all'incirca verso le sei
del pomeriggio, secolui recante una valigetta
con gli incartamenti abbisognevoli per il
settimanale riscontro.

Restavano nella Sede infino alle 8 di sera.

Poscia recavansi a casa del ragioniere Car-

188

dillo indove sua moglie aveva digià apparecchiato la tavola per la cena.

Mangiavano e quindi, al massimo scoccate le dieci, il ragioniere Patò accomiatavasi e ripartivasi per Vigàta.

A questo punto il ragioniere Cardillo ha aggiunto spontaneamente quanto segue. Patendo egli allora quella che volgarmente viene nomata "malattia del sonno", non avrebbe potuto sostenere un intrattenimento più lungo.

Abbiamo puranco appurato che il ragioniere Patò per andare da Vigàta a Montelusa, e viceversa, usava quanto segue.

Trovavasi in possesso di un suo cavallo e di un suo carrozzino di quelli nomati dalle parti nostre come "scappacavallo", i quali teneva nella stalla di tale Ingarriga Vincenzo e di cui era in possesso di chiave.

Preso atto inoltre della missiva del Capitano Mangiafico Arnoldo nella quale affermavasi che la signora Patò molto soffre a causa delle nostre visite, che certo non facciamo per piacere nostro, abbiamo stabilito quanto segue.

Andare a trovare la signora Mangiafico in Patò il solo Delegato di P.S. sicché il di lei fastidio potesse risultare almeno dimezzato.

Al suo ritorno dalla visita, il Delegato di P.S. riferiva quanto segue.

Avere la signora asserito con fermezza e ripetutamente che il di lei marito non rientrava mai dalle visite del sabato al ragioniere Cardillo avanti le cinque del mattino.

Avendo la signora il sonno molto leggero, per quanto il marito cercasse di fare il minore rumore possibile, al suo rientro si svegliava e quindi di lì a poco sentiva battere l'ora dall'orologio comunale. Si segnala che tale orologio batte magari il quarto.

Poiché il ragioniere Patò ha sempre giustificato i rientri mattutini con la mole del lavoro da svolgere col ragioniere Cardillo, la signora Mangiafico non ha mai trovato motivo di dubitare.

Allora, fatta la premessa che la distanza intercorrente tra Montelusa e Vigàta è copribile, con un carrozzino, al massimo in un'ora circa di tempo, la nostra domanda può rapprendersi in quanto segue.

Che faceva il ragioniere Patò nelle ore comprese tra quando lasciava la casa del ragioniere Cardillo (all'incirca alle dieci di sera) e quando faceva ritorno nella propria abitazione in Vigàta (all'incirca alle cinque del mattino)?

Trattasi di ben sei ore, esclusa l'ora del viaggio di ritorno.

Dove andava? Con chi si incontrava?

Tanto per vostra conoscenza.

Il Maresciallo dei RR CC   Il Delegato di P.S.
   (Paolo Giummàro)   (Ernesto Bellavia)

L'ARALDO di MONTELUSA

Gerente: Pasquale Mangiaforte   *Domenica, 13 aprile 1890*

Solo un incitamento

Oggi fan ventiquattro giorni dalla ancora inspiegabile scomparsa del ragioniere Antonio Patò.

Molte le supposizioni, tante le cervellotiche congetture, troppe le insinuazioni, alcune delle quali veramente vili e calunniose inverso un concittadino di preclare virtù e di vita intemerata.

Ed è proprio per porre termine a questo correr di voci che noi, rispettosi come sempre siamo stati dell'Ordine e della Legge, sommessamente invitiamo gli Inquirenti, che purtroppo ci pare che vaghino in tondo (almeno fino al dì presente), acciocché mettano le ali al loro fiuto di segugi e al loro occhio d'aquila.

Prima si risolve questa dolorosa vicenda e meglio è per tutti.

Al Signor   Al Capitano
Questore   Comandante RR CC
Montelusa   Montelusa

Vigàta, li 13 aprile 1890

Num. Prot. 223
Oggetto: Rapporto su sparizione

In data odierna abbiamo interpellato don
Gesuino Albanese, assistente dell'Arciprete
don Spiridione Randazzo.

Egli ci ha confermato quanto da noi appreso
in altra sede.

Desideriamo informarvi che dal 1° aprile
c.a. le Ferrovie hanno cangiato l'orario
della tratta Vigàta-Caltanissetta Xirbi, an-
ticipando la partenza serale di un'ora.

Il treno quindi non parte più da Vigàta
alle ore 8 (otto) bensì alle ore 7 (sette).

Tanto per vostra conoscenza.

Il Delegato di P.S.   Il Maresciallo dei RR CC
(Ernesto Bellavia)   (Paolo Giummàro)

192

Al Signor   Al Capitano
Questore   Comandante RR CC
Montelusa   Montelusa

Vigàta, li 14 aprile 1890

Num. Prot. 224
Oggetto: Indagine su sparizione

   Questo pomeriggio venivamo informati di una
violenta rissa accesasi nella mescita di vino
conosciuta come "u zu Tanu".
   Due nostre Guardie, prontamente accorse,
traducevano in Delegazione i due responsabili
della rissa che erano alquanto alticci.
   L'un d'essi risultava essere Abbate Giovanni, il fornicatore (di cui ai rapporti precedenti tanto della Stazione dei Reali Carabinieri quanto di questa Delegazione) che erasi
introdotto furtivamente con una donna nella
Cappella privata di palazzo Curtò di Baucina
per secolei intrattenere commercio carnale e
la cui vista aveva provocato lo svenimento e
la ferita della principessa Imelda Sanjust
degli Orticelli. L'altro invece, puranco contadino, chiamavasi Miccichè Calogero.
   Tutti e due risultavano incensurati.
   Premesso che i contadini vanno in giro
scalzi o al massimo con le cosiddette "scarpi

di pilu", (consistenti in un pezzo di cuoio ripiegato in punta e fermato con piccole corregge al collo del piede, lasciandone denudato il dorso) pochissimi infatti sono coloro che possono permettersi il lusso di un paio di scarponi.

L'Abbate ne possedeva un paio, eredità del nonno ex caporale dell'esercito borbonico, con le suole ferrate, che era solito indossare nelle Festività.

Da essi mai separavasi, manco nel corso della rappresentazione del "Mortorio". Se li levò solo all'atto di salire la scalea d'accesso ai piani superiori del palazzo (vedi punto 9, Alligato 1 al rapporto num. 216, li 30 marzo c.a.) lasciandoli in vista sul primo scalone che si dipartiva dal cortile.

L'Abbate temeva che gli scarponi facessero troppo rumore mettendo qualcuno sul chi vive. Quando, fuggendo precipitosamente dalla Cappella, volle rimettersi le scarpe, non le trovò più. Dovette comunque correre sul palco perché la rappresentazione stava per terminare e la sua assenza e quella della donna sarebbero state notate.

Del furto fin da quella stessa sera egli aveva accusato il Miccichè Calogero, anche esso comparsa nel "Mortorio", ma questi erasi sempre protestato innocente. Mancando di ogni prova atta a sostenere la sua accusa, l'Abbate, incontrato oggi nella mescita il Miccichè, con l'aiuto di qualche cannatello di vino, vieppiù erasi intestardito a dar del ladro al Miccichè finché questi aveva reagito alzando le mani. A questo punto domandavamo al Miccichè di accompagnare una nostra Guardia nella sua casupola. La Guardia, al suo rientro, ci ha dichiarato di non avere rinvenuto gli scarponi.

Nel corso dell'interrogatorio dell'Abbate e del Miccichè abbiamo appreso che si sono lamentati alcuni furti nel magazzeno adibito a spogliatoio maschile delle comparse (vedi punto 7b, Alligato 1 al rapporto 216, li 30 marzo c.a.) e precisamente:
Un rubbuni (giacca)
Una camicia
Una panzera (panciotto)
Un paio di cazuna (calzoni)
Una mèusa (copricapo a forma di milza)
Uno scappularu (mantello lungo fino ai piedi, con cappuccio).

Questi furti hanno provocato numerose risse magari con accoltellamenti delle quali però non ci è pervenuta notizia.

I due rissanti sono stati rimessi in libertà dopo essere stati severamente ammoniti.

Il Delegato di P.S.   Il Maresciallo dei RR CC
(Ernesto Bellavia)   (Paolo Giummàro)

Stazione
dei Reali Carabinieri
di Vigàta

Al Capitano   Al Signor
Comandante RR CC   Questore
Montelusa   Montelusa

Vigàta, li 14 aprile 1890

Oggetto: Indagine su sparizione
Num. Prot. 326

Facciamo immediato seguito al nostro rapporto odierno per esporre quanto segue. Abbiamo casualmente appreso dal ragioniere Tortorici Vitantonio, Cassiere principale della Banca di Trinacria facente funzione di Direttore della filiale, che nella scrivania appartenente al ragioniere Patò, allocata nel di lui officio, trovasi un cassetto chiuso a chiave nel quale il Patò riponeva carte e oggetti personali.

Tale cassetto, del quale solo il Patò deteneva la chiave, non venne forzato, per malintesa discrezione, dall'Ispettore Generale Cannarella quando venne inviato nella filiale per compiervi una ispezione amministrativa che riscontrò essere tutto regolare.

Riteniamo pertanto essere oramai indispensabile l'ottenimento di un mandato di perquisizione, _limitato al solo cassetto_, con relativa
autorizzazione all'asporto di carte e oggetti
nel cassetto contenuti.

Il Maresciallo dei RR CC   Il Delegato di P.S.
     (Paolo Giummàro)   (Ernesto Bellavia)

REGIA QUESTURA
DI MONTELUSA

IL QUESTORE

Al Delegato   Al Maresciallo
di P.S.   RR CC
Vigàta   Vigàta

Montelusa, li 15 aprile 1890

Vi compieghiamo il mandato di perquisizione, limitato al solo cassetto della scrivania, con relativa autorizzazione all'asporto.
Provvedete a oprare nella massima discrezione.
Consentendovi la perquisizione, il Capitano Comandante dei RR CC e io siamo speranzosi di non ricevere più da voi rapporti, assolutamente non inerenti le indagini, che parlano di:
— letteratura
— cangiamenti dell'orario ferroviario
— descrizione dei calzari de' contadini
— furto di scarponi borbonici
  e simili piacevolezze.
Quousque tandem?

Il Questore di Montelusa
(Liborio Bonafede)

Al Signor   Al Capitano
Questore   Comandante RR CC
Montelusa   Montelusa

                    Vigàta, li 15 aprile 1890

Num. Prot. 225
Oggetto: Acclaramento

   Abbiamo ricevuto il compiegato mandato di
perquisizione e relativa autorizzazione al-
l'asporto.
   Al fine però di un'attenta e pronta osservanza delle direttive emesse dalle Signorie Vostre
Ill.me vi comunichiamo di non avere capito le
ultime due parole, che a occhio e croce paionci
latine, contenute nella lettera testé ricevuta.
   Con osservanza.

Il Delegato di P.S.   Il Maresciallo dei RR CC
(Ernesto Bellavia)   (Paolo Giummàro)

Ernesto Bellavia   *Paolo Giummàro*

———— REGIA QUESTURA ————
———— DI MONTELUSA ————

IL QUESTORE

Al Delegato   Al Maresciallo
di P.S.   RR CC
Vigàta   Vigàta

Montelusa, li 16 aprile 1890

Per vostra tranquillità:
"Quousque tandem", come avete con rara intelligenza capito, è latino. Non è una direttiva, ma semplicemente l'inizio di un'orazione che, al tempo dei romani antichi, tale Cicerone pronunziò contro tal Catilina. In italiano, le parole suonano così: "Fino a quando, o Catilina, abuserai della pazienza nostra?".
La frase, tradotta invece in termini attuali, suona così: "Fino a quando, signor Delegato e signor Maresciallo, abuserete della pazienza mia e del Capitano Comandante i RR CC?".

Il Questore di Montelusa
(Liborio Bonafede)

Stazione
dei Reali Carabinieri
di Vigàta

Al Capitano   Al Signor
Comandante RR CC   Questore
Montelusa   Montelusa

                Vigàta, li 16 aprile 1890

Oggetto: Rapporto su perquisizione
dietro sparizione
Num. Prot. 327

   Nel cassetto della scrivania dell'officio
della filiale di Vigàta della Banca di Trina-
cria, appartenente al ragioniere Antonio Patò
che abbiamo forzato abbiamo rinvenuto quanto
segue.
   Oggetti:
Un piegabaffi marca "Paris"
Un linimento per il mal di schiena
Un paio di occhiali d'oro mancanti di una
lente
Un temperino col manico di madreperla
Tre paia di lacci neri per scarpe
Dieci boccette di medicinali vuote con l'eti-
chetta "Farmacia Lopane"

                201

*Otto fogli bianchi e otto buste bianche senza
intestazione
Una scatolina di metallo vuota
Quattro matite rosse non temperate
Un timbro a secco rotto
Un chiavino spezzato in due
Una scatolina di pasticche di clorato di po-
tassio
Due elastici rossi per maniche
Una piccola macchina per calcolo marca "Simplex"*
Tutti questi oggetti, eccezion fatta per le
dieci boccettine, sono stati lasciati nel
cassetto non interessando le indagini.

<u>Carte varie:</u>
*Cinque lettere (dentro le relative buste)
indirizzate al ragioniere Patò dalla di lui
moglie, signora Mangiafico Elisabetta, spedi-
te da Siracusa: la signora scrive al marito
della vacanza presso la di lei amica Agata,
parla della salute dei bambini, etc.*

*Una lettera del Capitano Mangiafico Arnoldo
per domandare al cognato d'intervenire presso
il Direttore provinciale di Montelusa onde
ottenere una considerevole dilazione alla restituzione di un grosso prestito a interesse
agevolato.*

*Due cartoline illustrate, provenienti una
da Napoli e una da Pompei, con retroscritto
"Saluti e baci Antonietta e Carlo".*

*Altra cartolina illustrata a firma Giorgio
proveniente da Catania.*

*Un telegramma a firma Gaspare annunciante
la morte di zio Nicola.*

*Un contratto d'acquisto inerente l'apparta-
mento indove attualmente risiede la famiglia
Patò.*

Dodici cartelle esattoriali.

Quaranta ricevute di pagamenti varii.

Un biglietto ferroviario per la tratta Vigàta-Caltanissetta Xirbi con proseguimento per Palermo in data 7 gennaio 1889 non utilizzato.

Trentuno lettere su carta e busta intestate ora "Senato del Regno" ora "Ministero dell'Interno — Il Sottosegretario di Stato", tutte firmate dal Senatore Pecoraro inerenti:

— concessioni di fidi bancari
— concessioni di prestiti
— riduzioni di tassi d'interesse
— dilazioni di rientri
— maggiori rateazioni di rientri
a favore di cittadini, impiegati, commercianti di Vigàta e dintorni.

Tra le concessioni di prestiti ci ha particolarmente interessato una lettera del Senatore che ordinava al ragioniere Patò di concedere un prestito di Lit. 150.000 (centocinquantamila) SENZA INTERESSE ALCUNO al noto maffioso Pirrello Calogero.

Interrogato prontamente da noi, il ragioniere Tortorici Vitantonio ci ha detto che tale prestito era stato debitamente restituito a suo tempo dal Pirrello, facendoci cortesemente esaminare le carte comprovanti tale restituzione in data 23 settembre 1888.

Tutti questi scritti sono stati da noi trattenuti.

Mostrata una delle boccettine rinvenute nel cassetto al farmacista Lopane egli ci ha detto quanto segue.

Essere una di quelle da lui vendute al ra-
gioniere Patò contenenti un rimedio allop-
piante contro la mancanza di sonno.

Il Maresciallo dei RR CC   Il Delegato di P.S.
(Paolo Giummàro)   (Ernesto Bellavia)

[firma: Paolo Giummàro]   *[firma: Ernesto Bellavia]*

La Gazzetta dell'Isola

Direttore: Gesualdo Barreca   *Palermo, 17 aprile 1890*

Finalmente!

Abbiamo appreso, con autentico piacere, che ieri, pigliato il toro per le corna e il coraggio a due mani, il Maresciallo dei Reali Carabinieri e il Delegato di Pubblica Sicurezza di Vigàta si son finalmente avventurati a perquisire la filiale locale della Banca di Trinacria.

Pare che i due ne siano sortiti secoloro recando un voluminoso pacco di carte.

Che le esaminino bene, i due valenti rappresentanti della Legge, inquantoché certamente vi troveranno pane per i loro denti. Sempre che i loro denti siano in condizioni buone.

Speriamo che qualche intempestivo intervento dall'Alto non ostruisca la strada proficuamente, seppur tardivamente, imboccata.

Noi intanto ci consoliamo col vecchio adagio "Meglio tardi che mai" e gridiamo a gran voce: finalmente!

Regio Ministero dell'Interno

Il Sottosegretario di Stato

A Sua Eccellenza
Tirirò Gran. Uff. Francesco
Prefetto di
Montelusa

PRESSANTE!

Roma, li 18 aprile 1890

Eccellenza chiarissima!

Non è certo mio intendimento scendere in pancrazio con i Rappresentanti della Legge in Montelusa e nella di essa subordinata (subornata?) Vigàta né tampoco oppilare loro le vie imboccate.

Quindi non erigo maldestre e affrettate zeribe, mi sollecita ultraneo moto a riprovar l'avventata perquisizione nella filiale di Vigàta della Banca di Trinacria, atto incongruo che a nulla approderà se non alla superfetazione di torbe dicerie, con nocumento grande dell'onorabilità mia e del nepote mio dilettissimo Antonio.

Non mi ergo a ultore, son solo un tegnente asser-

206

tore dell'oculato e discreto agire, rancura alcuna muovemi, *ma chi non ha saputo sceverare intoni la trenodia.*

Il Sottosegretario di Stato
(Pecoraro Senatore Gran. Uff. Artidoro)

Post Scriptum:
Quanto prima decideremo con S.E. il Ministro un avvicendamento di Prefetti: ha qualche preferenza?

Comando Territoriale Arma
Reali Carabinieri
di Palermo
Il Generale Comandante

Al Comandante
Reali Carabinieri
Bosisio Capitano Arturo Carlo
Montelusa

Palermo, li 18 aprile 1890

Capitano!
Voglio farle sovvenire che, quando mi
informò della collaborazione in Vigàta di un
nostro Maresciallo con un Delegato di Pubblica Sicurezza io ebbi a mostrar netta avver-
sione paventando sempre ferali resultati da'
innaturali connubi con civili.
Cosa che è avvenuta.
Sono stato vessato, sommerso da richieste
fino alla completa rottura dei santissimi acciocché io intervenga al fine di spiegarle
come la Regia Questura di Montelusa persegua,
nel caso della scomparsa del ragioniere Patò,
fini assai diversi dal semplice e doveroso
acclaramento della verità, tanto è vero, così
mi è stato riferito, che essa non si perita

di compiere atti in qualche modo disdicevoli per alte personalità politiche.

Valuti lei, Capitano, la miglior condotta da seguire.

Il Generale Comandante
(Artemio Chavez)

Regio Ministero dell'Interno
Il Capo Gabinetto
di S. E. il Ministro

Al Signor Questore
Bonafede Comm. Liborio
Montelusa

PRESSANTE!

Riservata Personale

Roma, li 18 aprile 1890

Libò,
ma si può sapere che ti pigliò?

Si può sapere che minchiate vai facendo a proposito della scomparsa di quel ragioniere che faceva la parte di Giuda?

Libò, stai attento: trattasi di faccenda merdosa.

Non solamente, come tu ben sai, quel ragioniere è nipote di chi sai tu, ma è macari la longa manus dello ziuccio per i suoi traffici con la

Banca di Trinacria. Perché sei andato a scuitàre il cane che dormiva con quella perquisizione?

Lo ziuccio gira per i corridoi del Ministero gettando foco e fiamme dalle nasche: quello è capace, se fai errore, di farti catafottere nel posto più sperso di questa nostra bella Italia.

Occhio, Libò.

Ti abbraccio con affetto in nome della vecchia amicizia.

Vincenzo Pajno Gargolo

——— REGIA QUESTURA ———
——— DI MONTELUSA ———

IL QUESTORE

Al Delegato   Al Maresciallo
di P.S.   RR CC
Vigàta   Vigàta

Montelusa, li 19 aprile 1890

Vivamente deploriamo il modo col quale avete effettuato la perquisizione nella filiale di Vigàta della Banca di Trinacria: in pieno giorno, alla presenza degli impiegati e de' passanti, senza precauzione alcuna a petto della doverosa riservatezza dell'operazione.

Inoltre ci pare, dal minuzioso inventario inviatoci, che essa indulge a inutili elencazioni di piegabaffi e boccette vuote, esser l'unica cosa di un qualche interesse le lettere indirizzate dal Senatore Pecoraro al nipote Antonio Patò per perorare la causa di alcuni infra i suoi elettori.

Tali lettere posson sì éssere indice di un malcostume politico, ma di certo non prefigurano illeciti penali.

Pertanto vi invitiamo a trattener presso di voi le carte rinvenute, senza darne diffusione alcuna, in attesa di futura collocazione che a breve vi indicheremo.

Considerata la piega degli avvenimenti, vi

invitiamo formalmente a farci pervenire il
vostro rapporto conclusivo entro e non oltre
la giornata di domani 21 aprile.

Il Questore di Montelusa   Il Capitano Comandante RR CC
   (Liborio Bonafede)   (Arturo Carlo Bosisio)

──── REGIA PREFETTURA ────
──── DI MONTELUSA ────

IL PREFETTO

A Monsignor
Quirino Giacovazzo
Regio Liceo-Ginnasio "Eschilo"
Montelusa

Montelusa, li 19 aprile 1890

Monsignore reverendissimo,
vengo per un momento a distoglierla dai suoi
severi studi classici per dimandarle una qui-
squilia, scaturita da una conviviale riunione
tra amici nella quale si parlò de' lontani
tempi di scuola.

La "trenodia" è un canto funebre, questo
ben lo ricordo: ma essa veniva intonata per
un morituro o per chi era già bello che se-
polto?

Le sarò estremamente grato di un acclaramento.

Suo

Francesco Tirirò
Prefetto di Montelusa

Al signor   Al Capitano
Questore   Comandante RR CC
Montelusa   Montelusa

                    Vigàta, li 21 aprile 1890

Num. Prot. 226
Oggetto: rapporto conclusivo su sparizione

Per comodità nostra e Vostra questo rapporto conclusivo sulla sparizione del ragioniere
Antonio Patò, avvenuta in Vigàta il 21 marzo
corrente anno, nel mentre si rappresentava
sulla pubblica piazza il "Mortorio", dove lui
faceva la parte di Giuda, viene ripartito in
paragrafi.

§1) Il ragioniere Patò.

Antonio Patò nasce a Montelusa il 16 gennaio
1850. Di buona famiglia (il padre era uno stimato avvocato), segue regolari studi in scuole
religiose e quindi si diploma in ragioneria.

Col supporto dello zio in linea materna, il
Grande Ufficiale Pecoraro Artidoro, futuro
Senatore e Sottosegretario di Stato, il quale
è proprietario al cinquantun per cento della
Banca di Trinacria, viene immediatamente as-
sunto in questa Banca, alla Direzione provinciale di Montelusa, subito distinguendosi per

correttezza, onestà, umanità nei rapporti con colleghi e clienti.

Nel 1884 viene nominato Direttore della filiale di Vigàta.

Nello stesso anno contrae matrimonio con Elisabetta Mangiafico, nata a Sciacca da assai benestante famiglia. Hanno due figli.

Da tutte le persone da noi interpellate sulla figura del ragioniere Patò abbiamo avuto risposte significativamente elogiative e non dettate da circostanza. Il commerciante Agatino Uccello, che si vide rifiutato un prestito, ci ha dichiarato che il Patò lo fece con tanta cortesia e abbondanza di motivazioni che lui stesso si persuase che quel prestito non potevagli assolutamente essere concesso.

Cattolico praticante, ogni domenica mattina si recava alla Santa Messa.

Uomo preciso, scrupoloso, composto, meticoloso.

L'usciere della filiale, signor Catalano Arturo, ci ha detto che sulla scrivania del Direttore le matite dovevano ogni mattina essere disposte secondo un preciso ordine di grandezza, a partire dalla matita meno temperata, e quindi più grande, collocata a mano manca poco distante dal calamaio che doveva sempre esser pieno fino a una certa altezza, con la penna ben pulita dall'apposito nettatore. Lo stesso dicasi per la bottiglietta col tappo metallico perforato per spargere la sabbia asciugante.

È dotato di memoria prodigiosa: non falla mai una data di compleanno o le ricorrenze dei clienti più importanti.

Non ha mai avuto rimostranza alcuna da

parte dei clienti per una qualunque mancanza della filiale da lui diretta.

In Vigàta usa frequentare tre o quattro amici tutti di indubbia moralità e di tranquillo vivere.

Scarse le sere passate in casa di questi amici assieme alla moglie. Invero più frequente lo scambio di visite la domenica dopopranzo.

Dal 1886, su richiesta del maestro elementare Erasmo Giuffrida, designato a fare la parte di Gesù, accetta di partecipare al "Mortorio" come Giuda. Egli acconsente senza farsi troppo pregare, studia indefessamente la parte e alla prima sortita ottiene un buon consenso dagli intenditori. Continuando a esercitarsi nella parte con lo stesso scrupolo che mette in ogni sua cosa, il Patò arriva a un elevato grado di verosimiglianza.

Facciamo notare che in Vigàta, a malgrado della parte che gli piaceva recitare, egli non è mai stato chiamato manco per ischerzo "Giuda" come ingiuria o appellativo spregiante. Pur carcandolo d'insulti nel mentre dello spettacolo, la gente tornava al primo rispetto quando il ragioniere si levava il costume.

L'unico sfaglio da lui commesso, a nostra conoscenza, è quello che riguarda il fatto di Ciaramiddaro Gerlando.

Come risulta dal verbale d'interrogatorio (vedi Alligato 1 del rapporto num. prot. 215 del 27 marzo c.a.), il Ciaramiddaro restituisce un prestito di Lit. 280 personalmente nelle mani del Direttore della filiale della quale è cliente da tempo.

Questo accade il giorno 18 marzo. E il ragioniere Tortorici, Cassiere principale, conferma l'avvenuta restituzione.

Senonché il 19 mattina il Ciaramiddaro riceve un biglietto non intestato, ma a firma Patò, che l'invita alla restituzione del prestito e a passare dall'officio il giorno appresso, vale a dire il 20 mattina. Il Ciaramiddaro ci va sicuro trattarsi di una svista. Qui però il Patò l'accusa di essere l'autore di una minacciosa lettera anonima che gli esibisce. Il Ciaramiddaro nega e la cosa finisce in rissa. Al Delegato di P.S. intervenuto, il Patò dice che il motivo della lite è dovuto alla mancata restituzione del prestito, omettendo del tutto di parlare della lettera anonima.

La quale lettera ci viene consegnata dall'Ispettore Generale Cannarella (vedi rapporto num. prot. 321 del 27 marzo c.a.) avendola lui trovata in evidenza sulla scrivania del Patò.

Quindi la chiamata nell'officio del Ciaramiddaro non era dovuta a un errore, ma alla precisa volontà del ragioniere che voleva incontrarsi faccia a faccia con lui per osservarne le reazioni mentre gli rinfacciava la paternità dell'anonima.

La ragione onde il Ciaramiddaro non reagì al fatto che il Patò non faceva parola al Delegato sulla lettera anonima sono state da lui spiegate nel corso dell'interrogatorio.

Difficile è invece riuscire a capire perché il Patò sulla lettera tacque, lasciandola poi in piena vista sulla sua scrivania.

§2) Causali della sparizione.

La pensata della signora Mangiafico Elisabetta, moglie del Patò, e del fratello di lei,

Capitano Arnoldo, e cioè che la sparizione sia capitata perché il ragioniere, avendo nella caduta attraverso la botola battuto violentemente la testa, abbia quindi perso la memoria non regge in base a quanto segue.

La parte di sopra della scaletta a foggia di piattaforma posta esattamente sotto la botola, ricoperta di stoffa imbottita, non mostra macchie di sangue, né tampoco i pali che sostengono il palco e nemmeno la terra nel sottopalco.

Ma si può controbattere quanto segue.
Non esser detto che il colpo alla testa debba per forza essere sanguinolento.
D'accordo, ma resta incontrovertibile quanto segue.

E cioè che il Patò, in stato confusionale, sarebbe sortito dal sottopalco, sarebbe tornato nel magazzeno adibito a spogliatoio, si sarebbe levato il costume di Giuda mettendolo nel sacco di juta, si sarebbe rivestito dei suoi panni e sarebbe nuovamente uscito portandosi appresso il sacco.
Questo dimostra quanto segue.
Non essere il Patò perso di memoria (avrebbe dovuto scordarsi magari di dove teneva gli abiti borghesi), ma ben lucido e consapevole.
Inoltre, vivo o morto, il ragioniere sarebbe stato sicuramente ritrovato: la signora Patò aveva messo un avviso pubblico promettente una grossa mancia a chi le riportava il marito e tutti sono a conoscenza, in Vigàta e contorni, delle floride condizioni pecuniarie della signora Patò.

219

L'altra congettura può essere condensata in quanto segue.

Essere stato il ragioniere vittima di un sequestro a scopo di riscatto da parte di una o più persone (vedi rapporto num. prot. 219 del 2 aprile c.a.).

Ma tale congettura è contrastata da quanto segue.

Non essere pervenuta né alla signora Patò né al di lei fratello né ad amici e parenti domanda alcuna di danaro dietro rilascio del sequestrato.

Troppo tempo è oramai passato dal giorno della sparizione!

In fatto subordinato, potrebbesi opinare quanto segue.

Trattarsi di sequestro di persona non a scopo di riscatto pecuniario, ma a scopo di vendetta da parte di qualche periglioso cliente insoddisfatto o da parte di maffiosi coi quali, per via del mestiere suo, il Patò doveva avere intrattenuto rapporti bancari.

Ma la cosa è in un certo senso ismentita da quanto segue.

Non essere stato rinvenuto il cadavere scempiato com'è di uso in consimilari casi, per intimorire la gente e per fare bella mostra della propria forza e prepotenza.

Inoltre manco una voce è trapelata al riguardo, nessuno dei nostri informatori ha saputo dirci niente.

Anzi, il noto maffioso Pirrello Calogero avrebbe, infra amici, dichiarato quanto segue.

Se il Patò fosse tornato vivo, avrebbe lui stesso provveduto ad ammazzarlo con le sue proprie mani a causa di un grosso versamento

220

*da lui fatto e mai registrato dal Patò in
quanto Direttore della filiale (vedi rapporto
num. prot. 222 del 10 aprile c.a.).
Ma sulla quistione Pirrello avremo modo di
tornare a tempo debito.
Non resta quindi che congetturare quanto
segue.
Il ragioniere Patò essere auto sparito, nel
senso che la sparizione è stata messa in atto
da lui stesso medesimo.
Ma perché egli ha voluto sparire?
Probabilmente la sparizione è un effetto
del ricevimento dell'anonima. La quale, pur
non essendo in sé e per sé minaccevole di
morte, purtuttavia deve avere significato
qualche cosa di molto grave per il ragioniere.*

§3) Organizzazione della sparizione.

Deciso a sparire, il ragioniere organizza
la cosa con la scrupolosità e l'ordine che
gli sono propri.

Fattosi prestare, la sera avanti la recita,
il costume di Giuda da don Gesuino Albanese,
egli se lo porta in banca dentro un sacco di
juta fornitogli dallo stesso don Albanese
(vedi rapporto num. prot. 323 del 3 aprile
c.a.). Egli fa ciò al solo scopo di farsi vedere dalla gente con un consunto sacco di
juta in mano e con una precisa ragione che è
quella di contenervi appunto il costume. In
caso contrario sarebbe parso a tutti disdice-
vole che una persona civile e distinta come
il Patò se ne andasse in giro con un sacco di
juta come un contadino qualsiasi.

Egli ha già in testa tutto quello che deve
fare, perché l'idea gli è venuta vedendo la

221

rappresentazione della "Pastorale" avvenuta in Vigàta nei dì natalizi dell'anno passato.

Havvi, nella "Pastorale", un popolar personaggio di buffo nomato Nardo, il cui pezzo forte è costituito da una comica fuga che fa travestendosi.

Egli indossa capi d'abito rubati ai suoi compagni mentre che loro dormono e si mette una gran barba finta che altro non è che un pezzo di lana di pecora acconciamente tagliato.

Durante le prove in costume del "Mortorio", il ragionier Patò si è recato, per testimonianza comune, a salutar le comparse nel magazzeno adibito a spogliatoio maschile.

Questo che a tutti pareva un gesto di cordialità nascondeva invece l'osservazione di quali capi di vestiario delle comparse fosser per lui i più atti al momento del bisogno.

C'è ancora da tenere presente che la parte di Giuda non comportava barba: e difatto il ragioniere la recitava tenendo i baffi ch'erano di suo. Ma il Patò una finta barba bianca, con relativi baffi canuti, ce l'aveva a portata di mano. Essa stava, non utilizzata, in un grosso pacco contenente trucchi di scena pigliati per precauzione in soprannumero, ma che, dato che non eran serviti, don Albanese teneva nel loculo 2 (vedi Alligato 4 al rapporto num. prot. 216 del 30 marzo c.a.). Il loculo 2 trovasi propriamente di fronte al loculo 16, vale a dire quello riservato al ragioniere per cangiarsi d'abito e indossare il costume di Giuda.

E a riprova:

durante la nostra andata a Palermo (domande di permesso n. 324 e 221 in data 8 aprile

c.a.), in un momento libero da impegni personali, ci siamo recati presso la ditta "Ronconi & C." che abitualmente fornisce l'occor-
rente pel "Mortorio", dai costumi ai trucchi
a quello che serve.

Cortesemente il signor Ronconi ci ha informato che non gli sono stati restituiti il costume di Giuda e una lunga barba bianca con
relativi baffi, ben fatta e costosa.

In seguito a queste mancanze, egli ci ha
detto di avere scritto lamentandosi a Vigàta
e che gli è stato risposto che il danno gli
sarà ripagato.

Di ciò abbiamo avuto conferma da don Gesuino Albanese.

A questo punto il problema del camuffamento
da contadino consiste nei piedi. Il ragioniere non era abituato a camminare a piedi nudi
e nemmanco lo era con le cosiddette "scarpi
di pilu". Gli servivano perciò un paio di
scarpe vere.

Ma su questo torneremo a breve.

§4) *Come si è svolta la sparizione.*

*La modalità della sparizione consiste in
quanto segue.*

*Il ragioniere esce da casa per partecipare
alla rappresentazione, ma invece di recarsi
direttamente a palazzo Curtò di Baucina,
passa dalla filiale della sua Banca a pigliare il sacco con dentro il costume. Ha portato
secolui un rasoio e un poco di crema da barba
(abbiamo omesso di dire che in ogni loculo
degli spogliatoi per gli attori e le attrici
c'era magari una bacinella d'acqua).*

Arrivato a palazzo, egli fa quanto segue.

Si affaccia nel magazzeno adibito a spogliatoio maschile per le comparse per assicurarsi della dilocazione dei capi di vestiario dei quali dovrà impadronirsi.

Le comparse in quel momento sono tutte sul palcoscenico a ripassare i movimenti e quindi egli potrebbe tranquillamente impadronirsi dei capi che gli occorrono. Ma non lo fa perché sa che a breve le comparse rientreranno nello spogliatoio e dunque potrebbero accorgersi della mancanza di alcuni capi.

Poscia indossa il costume e lascia i suoi abiti sulla sedia della quale è dotato il suo loculo.

Quindi, salito sul palco, comincia a recitare la parte di Giuda infino a che aziona la botola e attraverso di essa sparisce nel sottopalco.

Quindi esegue quanto segue.

(Si consiglia di tenere sott'occhio la pianta disegnata in Alligato 1 al rapporto num. prot. 216 del 30 marzo c.a.).

Appena sceso nel sottopalco il Patò ne sortisce velocemente dalla parte posteriore, entra dal portone (4), va nel magazzeno adibito a spogliatoio maschile delle comparse (7b), s'impadronisce di una giacca, una camicia, un panciotto, un paio di pantaloni, un copricapo e un mantello di cui conosce già i relativi dilocamenti, datosi che non appartengono a una sola persona (cosa fatta a ragion veduta per evitare che il pensiero immediatamente corresse al fatto che in realtà tutti quei capi sparsi formavano un abito completo).

In quel momento tutte le comparse, maschi e femmine, trovansi sul palcoscenico dove resteranno sino alla fine.

Mentre sta dirigendosi di corsa al magazzeno adibito a spogliatoio per i signori attori (8b), egli vede sul primo gradino della scalea (9) che porta all'interno del palazzo, un paio di scarponi ivi poggiati appartenenti a quell'Abbate Giovanni, il fornicatore, che se li era levati per non fare rumore andando a carnal congresso nella Cappella privata (vedi rapporti relativi).

Il Patò se ne impadronisce ed entra nel magazzeno spogliatoio: lasciati quivi scarponi e capi di vestiario nel suo loculo (16), corre al loculo antistante di faccia (2), indove don Albanese tiene lo scatolone con i trucchi sopravanzati, piglia la barba finta, torna nel suo loculo, si rade in fretta i baffi, si toglie il costume, indossa i capi d'abito rubati, butta tutto il resto dentro il sacco, si applica la barba finta e quindi fa quanto segue.

Esce tranquillamente non riconoscibile dal portone col sacco di juta in spalla in tutto e per tutto simile a un vecchio contadino. Quindi passa dietro le spalle della Guardia civica (17a) e si avvia per vico Re Ruggero.

Fatti tutti i nostri calcoli di tempo con provare e riprovare, mancano ancora dai tre ai cinque minuti alla fine della rappresentazione.

Sono quindi le ore sette e dieci dell'orologio.

Percorso vico Re Ruggero, il Patò piglia via della Zingarella, quindi via del Cane Morto ed è già sul viottolo d'accorcio che mena alla stazione ferroviaria la quale è distante dal paese chilometri 1 e metri 300.

Il treno per Caltanissetta Xirbi in coincidenza

225

per Palermo allora partivasi alle ore otto di sera, poi l'orario è stato anticipato (vedi rapporto num. prot. 223 del 13 aprile c.a.).

L'impiegato delle Ferrovie, signor Salvatore Anastasio, da noi interrogato, ci ha dichiarato quanto segue.

Ricordarsi perfettamente del vecchio contadino barbuto che pochi minuti prima della partenza del treno presentossi acquistando un biglietto di terza classe Vigàta-Caltanissetta
Xirbi-Palermo proprio la sera del passato Venerdì Santo.

Alla nostra domanda sul perché se lo ricor-
dasse, Salvatore Anastasio ci ha risposto
quanto segue.

"Per via delle mani."

Alla nostra domanda su che avessero di particolare quelle mani, egli ci ha detto quanto
segue.

Essere le mani prive di calli, perfettamente pulite e curate, che stonavano in un contadino.

Ma siccome quelle mani non erano affare né
suo né delle Ferrovie, non fece in proposito
nessuna domanda.

Questa spiegazione di come sono andate le cose
potrebbe, a parer nostro, essere bastevole.

Il Delegato di P.S.   Il Maresciallo dei RR CC
(Ernesto Bellavia)   (Paolo Giummàro)

L'ARALDO di MONTELUSA

Gerente: Pasquale Mangiaforte   *Martedì, 22 aprile 1890*

Feroce omicidio a Giardina

Ieri mattina presto un contadino, tale Michele Corvaia, si recava a incontrare il signor Calogero Pirrello che sapeva essere nella sua casa di campagna a Giardina. La porta era aperta. Appena entrato, il Corvaia si è trovato davanti a uno spettacolo terribile: il Pirrello giaceva in mezzo alla stanza, ucciso con un colpo di revolver che gli aveva portato via mezza testa. Particolare tremendo: il cadavere aveva ambedue le mani mozzate all'altezza del polso e posate sul petto.

Calogero Pirrello era ritenuto un pericoloso capomaffia. Più volte processato per reati varii, dal sequestro di persona all'omicidio, era sempre stato assolto per insufficienza di prove.

Secondo il Maresciallo della Benemerita Vincenzo Schilirò che si occupa delle indagini, il Pirrello è stato ammazzato perché avrebbe fatto uno sgarro alla sua stessa "famiglia". Infatti, mentre il taglio di una sola mano indica che un assassinato aveva rubato dove non avrebbe dovuto, il taglio delle due mani viene a significare che il Pirrello aveva rubato ai suoi stessi confratelli.

A parere del Dottore Francesco Simone, le mani al Pirrello sono state mozzate mentre costui era ancora vivo.

REGIA QUESTURA
DI MONTELUSA

IL QUESTORE

Al Delegato   Al Maresciallo
di P.S.   RR CC
Vigàta   Vigàta

Montelusa, li 22 aprile 1890

Il Capitano dei RR CC e io riteniamo il vostro rapporto, da voi definito come conclusivo, lacunoso, monco e addirittura reticente.

Il vostro procedere nel corso di questa certamente non facile indagine è indice della vostra totale incapacità di comprendere appieno quali sieno i doveri vostri.

Ma di tutto questo avremo modo di riparlare a breve.

Per intanto vi ordiniamo di mandarci un vero rapporto conclusivo, senza tema di dovere affrontare verità sgradevoli.

Della Verità noi siamo servitori.

Il Questore di Montelusa   Il Capitano Comandante RR CC
(Liborio Bonafede)   (Arturo Carlo Bosisio)

REGIA DELEGAZIONE —
— di PUBBLICA SICUREZZA
di VIGÀTA —

Al Signor   Al Capitano
Questore   Comandante RR CC
Montelusa   Montelusa

                 Vigàta, li 23 aprile 1890

Num. Prot. 227
Oggetto: Rapporto conclusivo su sparizione

Come da vostro tassativo ordine, vi trasmettiamo la conclusione del rapporto omessa
nel rapporto inviatovi in data 21 aprile c.a.
Similmente al precedente, magari questo
rapporto sarà diviso in paragrafi.

§1) Stato di salute del ragioniere Patò.

*In data 28 marzo c.a. ci siamo recati nel
Gabinetto medico del Dottore Picarella Giosuè
onde ottenere notizie sulla salute del ragioniere Patò. Egli risposeci quanto segue.*
*Godere il suo paziente di ottima salute e
quindi non avere bisogno di cure medicinali.*
*Essendo venuta a conoscenza di questa nostra
visita, la signora Mangiafico Elisabetta in Patò
volle vederci per comunicare quanto segue.*
*Essere il marito, da un mese avante, in
istato di alquanta agitazione che gli portava
magari insonnia in seguito alla scomparsa,
avvenuta in Palermo, della consorte del Di-*

229

rettore provinciale della Banca di Trinacria,
signora Infantino Rachele maritata Cardillo.
  Della famiglia Cardillo il Patò era amico
stretto, ogni sabato sera mangiava a casa
loro a Montelusa e quindi restava a fare i
conti settimanali della Banca col ragioniere
Cardillo che era suo superiore.
  Dell'assunzione nel corso dell'ultimo mese
di una particolare pozione che gli concilias-
se il sonno, il Patò non ne fece parola al
suo medico curante Dottor Picarella.
  Senonché dal farmacista Lopane venimmo ad
apprendere quanto segue.
  Essere da più di anni 2 (due) che il ragio-
niere Patò si riforniva regolarmente della
pozione sonnolenta.
  Ma di questo fatto si era ben guardato di
farne parola né col medico curante né con la
moglie, limitandosi con quest'ultima ad ammet-
terne l'uso da un mese appena, dalla scomparsa
cioè della signora Infantino in Cardillo.
  (Per tutto questo vedi rapporto num. prot.
218 del 1° aprile c.a.)

  §2) Diversità tra la parola "scomparsa" e
la parola "sparizione".

  Nel corso della parlata con la signora Mangiafico di cui al paragrafo precedente, essa ci
disse che il marito era restato assai disagiato
in seguito alla "scomparsa" della signora Infantino Rachele, moglie del Direttore provinciale ragioniere Cardillo Emanuele, avvenuta a
Palermo dove la signora erasi recata per andare
a trovare la sorella Romilda che ivi abita.
  Di quella parola noi, errando, ci facemmo
allora preciso concetto: e cioè che la signo-

ra Rachele, magari donna di una certa età, fosse morta a Palermo in casa della sorella.

E ci mettemmo l'animo in pace.

Poscia per prima cosa apprendemmo, del tutto casualmente, essere stata la defunta signora Infantino Rachele donna di straordinaria bellezza, nonché trentenne e nonché ancora seconda moglie del cinquantenne ragioniere Cardillo.

La seconda cosa che quasi immediatamente venne a nostra conoscenza fu che la signora Mangiafico in Patò, dicendoci che la signora Infantino era "scomparsa" diceva giusto, ma eravamo stati noi a capire quella parola in modo sbagliato. Dicendo "scomparsa", la signora Mangiafico in Patò intendeva dire veramente scomparsa, cioè che non si era riusciti più a trovarne traccia.

Sparita nel nulla, esattamente come il ragioniere Patò.

E due sparizioni (ecco perché ci siamo decisi a sostituire la parola "scomparsa" che può far nascere equivoci) a un mese di distanza l'una dall'altra di due persone che tra loro erano amiche e che avevano rapporti, sia pure in modi diversi, con la Banca di Trinacria, non ci fecero per niente persuasi.

§3) Modalità della sparizione della signora Infantino in Cardillo.

Durante la nostra visita a Palermo del 9 aprile c.a., in un ritaglio di tempo de' nostri personali impegni, ci siamo recati alla Regia Questura per avere maggiori particolari sulla sparizione della signora Infantino.

Il Delegato Pantano Angelo, a suo tempo in-

caricato delle indagini, ci ha riferito il risultato delle medesime che consiste in quanto segue.

La signora Rachele Infantino parte da Montelusa con due capaci valigie alla volta di Palermo perché voleva vedere la sorella, datosi che non la vedeva da troppo tempo. Piglia il treno da Montelusa che parte alle due del dopopranzo e che arriva in Palermo alle sei e mezzo. Senonché capita quanto segue.

Per ragioni rimaste oscure che il Delegato Pantano non è riuscito ad acclarare, la signora Infantino perde la coincidenza a Caltanissetta Xirbi ed è obbligata ad aspettare un altro treno, in partenza da Catania, che passerà due ore appresso e la farà arrivare a Palermo alle otto e mezzo di sera.

Il marito della signora Romilda, recatosi alla Stazione, non vede arrivare la cognata col treno delle sei e mezzo e quindi decide quanto segue.

Aspettare il treno seguente, vale a dire quello delle otto e mezzo.

È già scuro quando il treno arriva. Non vedendo la cognata scendere nemmanco da questo, egli si fa persuaso di quanto segue.

Avere la cognata cambiato idea. E se ne torna a casa.

Invece, a quanto pare, la signora è arrivata, ma i due non si sono incontrati.

Due giorni appresso capita quanto segue.

Il ragioniere Cardillo manda un telegramma alla moglie presso l'abitazione della di lei sorella per avere sue notizie. Dal telegramma di risposta apprende che la moglie non è mai giunta a casa della cognata.

Si precipita a Palermo, ne denuncia la scomparsa.

Iniziano le indagini che non vanno a capo di niente.

Quattro giorni appresso, succede quanto segue.

In un canneto sulla sponda del fiume Oneto, in un quartiere palermitano di trista nomea, viene ritrovata una valigia rotta con dentro dei vestiti signorili da donna, ma ridotti a mal partito, uno dei quali macchiato di sangue. Il ragioniere Cardillo riconosce, senza ombra di dubbio, che la valigia e il vestiario contenuto appartengono alla di lui moglie.

Allora vien fatto di pensare quanto segue.

Essere stata la signora Infantino, al suo arrivo nella Stazione di Palermo, da persona sconosciuta circuita, sequestrata, depredata (la signora aveva portato secolei molti preziosi) e quindi barbaramente assassinata facendone scomparire il corpo.

Per scrupolo di coscienza siamo andati a cercare se "L'Araldo di Montelusa" avesse fatto cenno della faccenda. Lo fa in un breve trafiletto dicendo quanto segue.

Essere stata la signora rapita e uccisa da ignoti a scopo di rapina.

La notizia, molto concisa forse per un senso di rispetto verso il ragioniere Cardillo, ci era del tutto sfuggita, trattandosi inoltre di un fatto delittuoso capitato a Palermo.

§4) Stato di salute del ragioniere Cardillo.

Da un articolo della "Gazzetta dell'Isola" in data 5 aprile c.a., abbiamo appreso che il ragioniere Emanuele Cardillo da due anni pa-

233

tiva di "malattia del sonno" e abbiamo domandato spiegazioni al suo medico curante, l'illustre Professor Notarbartolo, specialista in malattie affricane.

Egli, sia pure in via indiretta, ci ha confermato che da due anni il Cardillo era affetto da suddetta malattia, ma che ne era guarito per l'impressione avuta a seguito della tragica scomparsa della moglie.

Il Professore Notarbartolo ne aveva fatto oggetto di una relazione scientifica.

Quanto sopra ci è stato direttamente confermato dall'interessato, ragioniere Emanuele Cardillo (vedi rapporto num. prot. 325 del 12 aprile c.a.).

§5) Attorno alla lettera anonima ricevuta dal ragioniere Patò.

Nei riguardi della lettera anonima da lui ricevuta (TU CHE FAI LA PARTE DI GIUDA SEI PEGGIO DI LUI), ma che non sappiamo come recapitata in quanto mancante di busta, il ragioniere Patò comportasi in modo che si può definire alquanto strano.

Convoca il Ciaramiddaro il quale si reca nel suo officio convinto di dover discutere la faccenda del prestito.

Il Patò invece l'accusa di essere l'autore di una lettera anonima.

Cosa assolutamente impossibile, datosi che la lettera appare scritta in italiano buono mentre l'italiano del Ciaramiddaro è quello che è.

Certo, quella lettera il Ciaramiddaro può essersela fatta scrivere da qualcuno che lo sapeva fare, ma al Patò non passa manco per l'anticamera del cervello di domandargli da chi si è fatto aiutare.

E poi: perché lasciare l'anonima in evidenza sulla scrivania, secondo quanto ci ha riferito l'Ispettore Cannarella, dove chiunque avrebbe potuto pigliarne visione?

E poi ancora: perché non farne parola col Delegato di P.S. quando questi si recò nell'officio della filiale della Banca di Trinacria per acconciare la rissa insorta col Ciaramiddaro?

La spiegazione logica è una e una sola.

Il Patò quella lettera anonima se la scrisse da se stesso medesimo.

E per essere sicuro che si risapesse in giro d'avere ricevuto una lettera minacciosa si azzuffò a bella posta col Ciaramiddaro.

Ma quando vide che il Ciaramiddaro, in presenza del Delegato, non apriva bocca sull'accusa, scelse magari lui di tacere sull'argomento, preferendo che della lettera si venisse a sapere solo dopo la sua sparizione.

E la lasciò sulla scrivania, sapendo che prima o dopo sarebbe stata rinvenuta come difatto è stato.

Perché si scrisse la lettera anonima?

Perché essa doveva servire a confondere le idee sul vero motivo della sua sparizione.

§6) Perché Patò è sparito.

Tutta la faccenda piglia avvio da almeno due anni avante, quando Antonio Patò e Rachele Infantino scoprono di essere innamorati l'uno dell'altra.

La cosa ha avuto inizio e progressivo sviluppo durante le visite del Patò a casa del ragioniere Emanuele Cardillo, suo superiore, ogni sabato sera a Montelusa.

I due, attagliati da sempre più travolgente passione, non sanno come fare per potersi vedere a loro completo agio.

Fintantoché al ragioniere Patò non scaturisce una idea dimoniale: fattosi dare, con la scusa di patire d'insonnia, un flaconcino di pozione alloppiante e sonnolenta dal farmacista Lopane, lo consegna alla signora Infantino acciocché la somministri segretamente nel pasto del marito.

Cosa che la signora fa senza esitanza alcuna.

Ne consegue che il sabato sera, appena terminata la cena, il ragioniere Cardillo alle dieci manco si regge più in piedi.

Il Patò allora si congeda dalla coppia e finge di ripartirsene per Vigàta.

In realtà egli ritorna dopo una mezzoretta, la signora Infantino gli apre e i due fedifraghi possono abbandonarsi al loro piacere mentre l'ignaro Cardillo è sprofondato nel più pesante dei sonni.

Ma c'è di più. Per non destare sospetti circa la coincidenza tra le botte di sonno del ragioniere Cardillo e le serotine cene del sabato, il Patò consiglia all'amante di continuare a somministrare la pozione sonnolenta e alloppiante al marito magari giornalmente tutti i giorni della settimana.

Ne consegue che il ragioniere Cardillo, credendosi malato, si sottopone a visita del Professore Notarbartolo che gli diagnostizza essere affetto da malattia del sonno.

Malattia che scompare dopo la sparizione della signora Infantino, non in seguito allo scombussolamento patito, come ipotizza il Professore Notarbartolo, ma semplicemente perché non gli viene somministrato più niente datosi che non ce n'è più di bisogno.

Ogni volta che un flaconcino di pozione finiva, la signora Infantino lo riconsegnava al Patò che lo riponeva nel cassetto della scrivania dell'officio e se ne faceva dare uno nuovo dal farmacista Lopane (vedi rapporto num. prot. 327 del 16 aprile c.a.).

Senonché quei fugaci incontri una volta alla settimana non bastano più a saziare i due amanti. I due decidono perciò di scapparsene assieme.

§7) Organizzazione della sparizione della signora Infantino.

La preoccupazione che assilla i due amanti si può riassumere in quanto segue.

Come sparire senza dare il sospetto di una fuga amorosa che scatenerebbe ne' famigliari reazioni ancora più esacerbate che se si fosse trattato di una sparizione dovuta a cause più tragiche?

Pensa che ti ripensa, il Patò perviene a quanto segue.

Recatosi in Palermo per affari ai primi di gennaio c.a. e trattenutovisi per una settimana consecutiva, varie sono le testimonianze al proposito, egli celatamente affitta o compera una casetta isolata in quella città.

E quindi la signora Infantino, recatasi a Palermo successivamente con la scusa di andare a trovare la sorella, in essa casetta va a nascondersi dopo essere riuscita a scansare il cognato che alla Stazione l'aspettava. Due giorni appresso, conosciuta la sparizione della consorte, il ragioniere Cardillo si precipita a Palermo accompagnato da quello che lui crede essere un vero amico e che invece trattasi di un autentico Giuda, il Patò appunto.

Questi, trovato il momento giusto per eclissarsi, magari notturno, raggiunge l'amante nella casetta segreta.

E qui mette in scena quanto segue.

Insanguina un abito della Infantino magari con sangue di pollo, malriduce una valigia, vi infila il vestito insanguinato e altri capi e quindi getta la valigia nel canneto del fiume Oreto.

E per essere certo che la valigia venga ritrovata e cada nelle mani giuste, il ragioniere Patò fa quanto segue.

Inviare un biglietto anonimo alla Questura di Palermo, secondo quello che ci ha riferito il Delegato Pantano.

Tutto ciò fatto, al ragioniere non resta che aspettare la rappresentazione del "Mortorio" per mettere in atto la seconda parte del suo ingegno, vale a dire la sua propria sparizione che avviene secondo quanto scritto nel nostro precedente rapporto.

La nostra opinione consiste in quanto segue.

Essere vana ogni ulteriore ricerca, vuoi per l'intelligenza e la cura che il Patò mette in ogni cosa che fa, vuoi perché egli, a nostro parere, trovasi allo stato attuale ben sistemato a quattrini e quindi può partirsene per dove vuole con la sua amante.

§8) Perché Patò dispone ora di danaro.

Noi infra noi avevamo avanzato una supposizione, ma poiché si trattava di una vera e propria supposizione abbiamo deciso di ometterla dal rapporto precedente.

Senonché in data di ieri, 22 aprile c.a., è apparsa sul giornale "L'Araldo di Montelusa" la notizia del feroce omicidio di Calogero Pirrello, noto capomaffia della nostra Provincia.

Come le Signorie Vostre Ill.me certamente ricorderanno, il Pirrello è stato oggetto di un nostro accertamento nel quadro della sparizione del ragioniere Patò (vedi rapporto num. prot. 222 del 10 aprile c.a.).

Avendo saputo da un nostro informatore che il Pirrello avrebbe detto che se si ritrovava vivo il Patò avrebbe provveduto lui ad ammazzarlo, ordinammo all'informatore di attingere quante più notizie possibili sull'argomento.

Egli ebbe a riferirci che correva voce che il Pirrello avesse consegnato al Patò, quale Direttore della filiale della Banca di Trinacria, una assai grossa somma perché la mettesse in deposito. Il Patò gli avrebbe rilasciato ricevuta provvisoria, dato che l'incontro avveniva la sera del Giovedì Santo, quando la filiale era vacante di impiegati, promettendogli di regolarizzare tutto il primo giorno non festivo e mettendo il danaro in cassaforte.

Quando si sparse la voce della sparizione del Patò, il Pirrello si informò circa la fine che avevano fatto i suoi danari e così apprese che la somma non era stata rinvenuta

239

nella cassaforte dall'Ispettore Cannarella e non era mai stata registrata.

Allora, a ben ragione, si era fatto persuaso di essere stato turlupinato dal Patò che si era involato coi suoi danari.

Ma poiché detti danari solo in minima parte erano suoi, appartenendo quasi tutti alla "famiglia" di cui era componente, egli venne sospettato dai suoi di essersi impadronito della somma in combutta col Patò, che avrebbe successivamente eliminato e fatto scomparire. E non potendo il Pirrello dare spiegazione diversa da quella di essere stato beffato dal Patò, venne selvaggiamente assassinato.

<u>Questo è il nostro rapporto conclusivo. E con ciò riteniamo chiusa l'indagine.</u>

Il Delegato di P.S.	*Il Maresciallo dei RR CC*
(Ernesto Bellavia)	*(Paolo Giummàro)*

4

TERZA E ULTIMA
CONCLUSIONE

La Gazzetta dell'Isola

Direttore: Gesualdo Barreca   Palermo, 25 aprile 1890

Una coincidenza

Iersera, incantati, assistevamo a una impeccabile rappresentazione dell'opera "Norma" del nostro immortale conterraneo Vincenzo Bellini.

Nello splendido teatro guarnito di belle donne ingioiellate, la musica e il canto ci stavano trasportando fora dal nostro terreno mondo, lontano da affanni e intrighi, quando, all'attacco di uno tra i più celebrati passaggi, quello che fa "Dormono entrambi", il nostro pensiero disagevolmente di colpo piombò a terra. Risvegliandoci.

Sì, perché immantinenti la nostra mente corse a due altri dormienti.

Ci riferiamo al Delegato di P.S. e al Maresciallo della Benemerita di Vigàta i quali, dopo avere girato a vuoto per giorni e giorni e dopo avere finalmente imboccato la strada che portava a una certa Banca, ora "dormono entrambi".

Difatti delle indagini sulla scomparsa del ragioniere Antonio Patò non si riesce a saperne più niente.

Anche il Questore di Montelusa e il Capitano Comandante dei Carabinieri "dormono entrambi".

Sogni d'oro, signori.

REGIA PREFETTURA
DI MONTELUSA

IL PREFETTO

Al signor   Al Signor Capitano
Questore   Comandante RR CC
Montelusa   Montelusa

Riservata personale!

Montelusa, li 25 aprile 1890

Signor Questore, Signor Capitano,
ho molto apprezzato la squisita cortesia con
la quale avete voluto inviarmi, in forma del
tutto riservata, il duplice rapporto indiriz-
zatovi dai vostri subalterni e subordinati di
Vigàta in merito alla scomparsa del ragioniere
Antonio Patò, cittadino esemplare e nipote
adorato del Senatore Artidoro Pecoraro, attuale Sottosegretario al Ministero dell'Interno,
nonché illustre figlio di Montelusa.
Ebbene, sono francamente a dirvi che trovo
il secondo rapporto ancor più grave del primo.
Nel primo non si dona spiegazione alcuna
sulle motivazioni che avrebbero indotto il
ragioniere a sì strampalata fuga.
Nel secondo non si fa altro che scagliare
gratuite infamie contro un galantuomo come il
ragioniere Patò senza la benché minima surro-
gazione di prove che abbiano un sia pur esile
valore giudiziario.

Lo si arriva ad accusare persino di essere un ladro di danaro malavitosamente guadagnato dalla maffia!

Questo veramente parmi troppo!

Al posto vostro, davanti al nostro Senatore, preferirei abbracciare le ragioni dei due Sir che hanno scritto al Sindaco di Vigàta piuttosto che sostenere un solo rigo di uno dei due rapporti.

Ma se un di voi si sente d'essere d'accordo con le resultanze di queste cosiddette indagini, lo dica apertamente e si assuma le proprie responsabilità.

Facciovi presente che domenica 27 aprile sarà in città S.E. Pecoraro il quale, nel pomeriggio, interverrà in Prefettura a un ricevimento in Suo onore.

In quell'occasione, Egli certamente vorrà essere edotto sullo stato delle indagini.

Con molti auguri,

Il Prefetto di Montelusa
(Francesco Tirirò)

Comando
Provinciale
dei Reali
Carabinieri
Montelusa

PRESSANTE!!
DISPACCIO A MANO

Al Maresciallo
Giummàro Paolo

Le rammento la stret-
tissima consegna del si-
lenzio in merito ai rap-
porti inviatici.
Se trapela una sola pa-
rola, lei se ne va dritto
alla Corte Marziale

Per il Capitano
Comandante
Ten. Loffredo

Loffredo

248

Al Delegato di P.S.
Vigàta

   Le ordino di non far
parola alcuna con nes-
suno, ripeto nessuno,
circa il contenuto dei
rapporti inviatici.
   In caso contrario
proporrò sua immediata
radiazione.

        Per il Questore
        di Montelusa

   Antonio Colonna

Al Maresciallo
Giummàro Paolo
Sue proprie mani

Riservata personale!!!
Può essere aperta solo dal
Maresciallo Giummàro!!!

Caro compare Paolino,
ti mando queste due righe con una Guardia
mia fidatissima che consegnerà solo a te
questo mio scritto che provvederai a bru-
ciare. Mi sto facendo persuaso che il Questore e il tuo Capitano si stanno mettendo d'accordo per scaricare sopra di noi
la rogna e mettercelo in culo.
Ho pensato a un modo di nèsciri da 'sta
storia merdosa.
Passa da casa mia di corsa. Io non mi
posso cataminare per via di una frussione
che mi tiene la febbre alta. Ma non ti
preoccupare che mi passa se sarà possibile
travagliare per la nostra salvezza.
Ti faccio una domanda **fondamentale**: il
custode del Camposanto è sempre quel
Pippo Lojacono che gli salvasti il figlio
dalla galera?
Portami tutte le notizie che hai sul
ragioniere, quanto pesava, quanto era
alto, etc.
Vieni subito, ci restano sì e no dodici ore.
Tuo compare

Nenè Bellavia

250

L'ARALDO di MONTELUSA

Gerente: Pasquale Mangiaforte   Lunedì, 28 aprile 1890

Ritrovato il corpo senza vita del ragioniere Patò

Ieri mattina assai presto il signor Armando Mazza erasi recato a caccia nella zona paludosa compresa tra Vigàta e Montereale conosciuta come "Lagomorto". La sua attenzione veniva a un tratto richiamata dal furioso abbaiare del suo cane da riporto. Avvicinatosi, scopriva con orrore che un corpo umano in avanzato stato di decomposizione emergeva di tra la fanghiglia. Velocemente correva quindi ad avvertire la Stazione dei Reali Carabinieri di Vigàta. Il Maresciallo della Benemerita, colto da un presentimento, del rinvenimento portava a parte il Delegato di P.S. a letto febbricitante. Malgrado l'indisposizione, il Delegato, anche lui colto dallo stesso tristo presentimento, voleva recarsi sul posto.

Pur avendo il cadavere suppergiù la stessa corporatura del ragioniere Patò, l'avanzatissimo stato di decomposizione non permetteva più precisa identificazione. Coll'assenso del Pretore Jacobello, il corpo veniva nella tarda mattinata trasportato nella stanza adiacente la Chiesa del Camposanto che funge da obitorio. Verso le tre del dopopranzo il Dottore Francesco Simeone, dovendo praticare l'autopsia, con molta fatica riesciva a spogliare il cadavere dagli abiti che erano diventati tutt'uno con i miseri resti. Il morto non presentava traccia alcuna di violenza. Mentre il Dottore continuava la sua opera, il Maresciallo e il Delegato, maneggiandole con estrema delicatezza, cercavano d'iscoprire infra le vestimenta qualcosa che potesse dar luogo a una identificazione. La loro pazienza veniva premiata. In una delle tasche della giacca trovavasi una busta pregna d'umidità e con molte parti cancellate dalla medesima. Era però possibile leggere ancora quel che di seguito riproduciamo:

...stero del...terno
...ario di Stat...

Questo per quanto riguarda l'intestazione a stampa. Meno leggibile l'indirizzo scritto a penna, essendo stato l'inchiostro annacquato dall'umidore:

.....ere
.....nio Pa....
.....tore Fil....
......nca di Tr....
..........Vig....

La busta, al suo interno, non conteneva lettera alcuna. A questo punto non poteva più sussistere dubbio, lo scritto sulla busta andava in questo modo ricostruito:

Ministero dell'Interno
Il Sottosegretario di Stato
Al Ragioniere
Antonio Patò
Direttore Filiale
Banca di Trinacria
Vigàta

Il Delegato e il Maresciallo correvano allora a Montelusa per avvertire i rispettivi Superiori. I quali decidevano immantinenti d'informare del doloroso rinvenimento lo zio, S.E. il Senatore Artidoro Pecoraro, Sottosegretario al Ministero dell'Interno, il quale stavasi per recare in Prefettura per ricevere un indirizzo di benvenuto.

All'obitorio, Sua Eccellenza Pecoraro, che non riesciva a trattenere il pianto, riconosceva in quei miseri resti l'adorato nipote. Anche i frammenti della busta li riconosceva come appartenenti a una lettera da lui inviata al ragioniere. Sua Eccellenza, pur tra le lacrime, ha così voluto commentare: "Questo è un giorno di terribil duolo per me! E avrebbe dovuto esser giorno di dilettevole festa! Che siam noi con tutte le nostre pompe? Nulla siam! Eppurtuttavia questo tragico evento servirà a tacitare le ignobili voci che volevan gittar fango su la mia famiglia!"

Il Signor Questore e il Signor Capitano dei RR CC hanno voluto pubblicamente elogiare il Delegato di P.S. Bellavia e il Maresciallo della Benemerita Giummàro di Vigàta che hanno indagato con perizia e tenacia sulla scomparsa.

È opinione di tutti che l'amore della signora Patò verso il marito l'avesse fin dal principio guidata su una spiegazione rivelatasi alfine la giusta: il povero ragioniere Patò, cadendo nel sottopalco durante la rappresentazione del "Mortorio", aveva battuto la testa perdendo la memoria; dopo aver girovagato a lungo, esausto, affamato, egli ha trovato la morte.

A Sua Eccellenza il Senatore Pecoraro, alla famiglia, ai parenti, agli amici vanno i sensi del cordoglio del nostro Giornale.

Nota

Questo libro mi è stato suggerito dalle poche righe di Leonardo Sciascia che cito "in limine".

In precedenza, sullo stesso argomento, avevo scritto un breve racconto apparso su "L'Almanacco dell'Altana 2000" e poi, in forma ridotta, sul quotidiano "La Stampa".

Siccome però la storia continuava a maceriarmi dentro, ci ho rimesso le mani modificandola e ampliandola fino a ricavarne questo "dossier".

Mi sono inventato tutto, lo confesso. È possibile qualche coincidenza di nomi e cognomi, ma si tratta, lo ripeto, di dannate coincidenze. Del resto, da qualche parte del libro, c'è un tale che si chiama Andrea Camilleri. È un evidente caso di omonimia, dato che la storia si svolge nel 1890.

A.C.

«La scomparsa di Patò»
di Andrea Camilleri
Collezione Scrittori italiani e stranieri

Arnoldo Mondadori Editore S.p.A.

Questo volume è stato stampato nel mese di novembre dell'anno 2000
Presso Mondadori Printing S.p.A.
Stabilimento Nuova Stampa Mondadori - Cles (TN)

Stampato in Italia - Printed in Italy